Libro de ejercicios

Equipo ESPACIO

1.ª edición: 2018
1.ª reimpresión: 2019
2.ª reimpresión: 2020
3.ª reimpresión: 2023

© **Equipo ESPACIO:**
María Carmen Cabeza Sánchez, Francisca Fernández Vargas, Luisa Galán Martínez, Amelia Guerrero Aragón, Emilio José Marín Mora, Liliana Pereyra Brizuela, Francisco Fidel Riva Fernández
Coordinación: Amelia Guerrero Aragón

ISBN - Libro de ejercicios: 978-84-9848-946-0
Depósito Legal: M-20879-2018

Impreso en España
Printed in Spain
0823

Coordinación editorial:
David Isa

Diseño de cubierta:
Carlos Casado

Maquetación:
Juan Carlos López

Ilustraciones:
Carlos Yllana

Fotografías:
Archivo Edinumen, *www.shutterstock.com*
p. 12 (*Pedro Almodóvar*, Denis Makarenko); p. 17 (*Guillermo del Toro*, Kathy Hutchins); p. 18 (*Pedro Almodóvar y Penélope Cruz*, Featureflash Photo Agency); p. 28 (*Gabriel García Márquez*, bajo licencia CC BY-SA 2.0); p. 49 (*Ángel Corella*, criben); p. 49 (*Escultura Antonio López*, Agnieszka Skalska); p. 66 (*Publicidad Ibrahimovic*, www.auto10.com)

Impresión:
Gráficas Glodami. Madrid

Editorial Edinumen
José Celestino Mutis, 4.
28028 Madrid. España
Teléfono: (34) 91 308 51 42
E-mail: edinumen@edinumen.es
www.edinumen.es

ÍNDICE

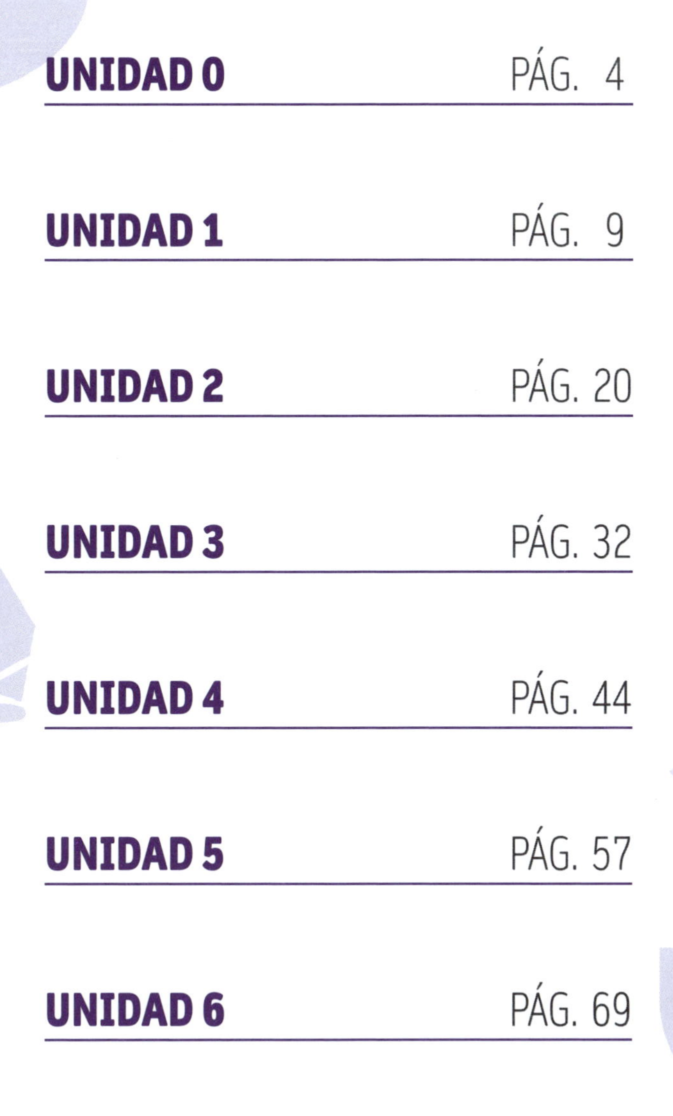

0.1. **Fíjate en las siguientes formas verbales de pasado y clasifícalas en el recuadro adecuado.**

comieron ▪ han ido ▪ regresé ▪ tenían ▪ se ha divertido ▪ bajé ▪ estuvo ▪ charlabas
dormías ▪ rompió ▪ has estado ▪ he descansado ▪ me quedaba

Pretérito indefinido	Pretérito imperfecto	Pretérito perfecto

0.2. **Escribe los verbos en infinitivo en la forma correspondiente del pasado y completa los espacios con números con los verbos del ejercicio anterior.**

a Carlos y María no .... (bañarse) porque (1) ....tenían.... frío.

b Cuando (2) .... a casa, tú ya (3) .... ¿A qué hora te acostaste?

c Juan dice que (4) .... mucho estas vacaciones porque .... (reunirse) toda su familia al completo.

d Fran no .... (ir) a la fiesta de cumpleaños ayer. (5) .... en mi casa viendo la final de tenis. ¡.............................. (Ganar) Rafa Nadal!

e ¡Enhorabuena! Lo .... (hacer) muy bien y (6) .... muy tranquilo.

f Siempre que .... (tener) un poco de tiempo, (7) .... en casa para descansar.

g A mí ese chico me .... (caer) muy mal. En cambio tú (8) .... siempre mucho con él.

h ¿Sabes adónde (9) ....? Son las diez y todavía no han regresado.

i Sé que ayer .... (ir, ellos) a casa de Ana y (10) .... todos allí. Además, su madre hace unas paellas riquísimas.

j Marta .... (estar) tan nerviosa que al final (11) .... a llorar.

k Este fin de semana .... (coger, yo) fuerzas para toda la semana. ¡(12) .... tanto!

l Cuando .... (llamar, tú) al telefonillo, (13) .... enseguida.

0.3. **Relaciona las formas verbales del pasado con sus diferentes usos y ejemplos correspondientes.**

1 Pretérito imperfecto •
2 Pretérito indefinido •
3 Pretérito perfecto •

• a Acción pasada en un periodo de tiempo no terminado. •
• b Hablar de una experiencia. •
• c Acción pasada en un periodo de tiempo terminado. •
• d Descripción de personas, cosas, lugares, acciones habituales y circunstancias. •

• 1 Era un lugar maravilloso, rodeado de naturaleza, desde donde se podía contemplar el mar.
• 2 Esta mañana he comido un bocadillo de jamón riquísimo.
• 3 Ya he visto la última exposición sobre Goya en el Museo del Prado. ¡Me ha gustado mucho!
• 4 Ayer hablé por teléfono con Moisés y me lo contó todo.

0.4. **Observa los dibujos y completa las frases con el marcador temporal correspondiente.**

todos los días ▪ antes ▪ ayer ▪ ahora ▪ hoy

b ¡.................................... fue el cumpleaños de Ana y no la llamé!

a .... estaba muy delgado, pero .... estoy muy gordo.

c .... me he levantado muy temprano. ¡Me muero de sueño!

d .... corría a la misma hora y por el mismo sitio.

0.5. **Lee las siguientes frases y corrige los errores en los tiempos verbales del pasado si es necesario.**

a Ayer [ha venido] Miguel a visitarme. ¡Qué bien nos lo [hemos pasado]!
vino *pasamos*

b Esta tarde el profesor de Historia nos habló del Antiguo Egipto. ¡Nos ha encantado!

....

c Viví al lado de la playa tres años y durante esa época todos los días me levanté a las siete de la mañana para pasear y bañarme en el mar.

....

d Mi abuela siempre me contó que escribir a máquina era maravilloso.

....

e Cuando llegué a casa, me he acostado porque estuve muy cansado.

....

REDES DEL FUTURO

0.6. **Escribe la forma correcta del futuro imperfecto y encuentra la palabra secreta.**

1 Saber: 3.ª persona singular.
2 Valer: 3.ª persona plural.
3 Querer: 3.ª persona plural.
4 Caber: 2.ª persona plural.
5 Decir: 1.ª persona plural.
6 Salir: 2.ª persona singular.
7 Poner: 2.ª persona plural.
8 Tener: 1.ª persona singular.
9 Hacer: 1.ª persona plural.

0.7. **Completa las frases con los verbos del ejercicio anterior.**

a ¿Crees que Pilar y Javier .... venir a la fiesta?

b ◗ ¿.................................... este sábado?

◗ No sé, porque tengo que estudiar un montón.

c El mes que viene .... una excursión a Montserrat.

d ◗ ¿Seguro que .... todos en tu salón?

◗ Sí, claro.

e Si no se me va el resfriado, ... que ir al médico.

f En la reunión le .... al jefe que queremos salir antes.

g ¿.................................... Horacio lo que ha dicho de él María?

h ◗ ¿Cuánto .... las nuevas zapatillas de Nike?

◗ ¡Uf! Una pasta, seguro.

i Cuando os entregue el examen, en primer lugar .... vuestro nombre.

0.8. **Escribe frases como en el ejemplo.**

Ejemplo: No regar (tú), plantas / secarse.
Si no riegas las plantas, se secarán.

a Terminar (yo), pronto, deberes / jugar (yo), consola.

....

b Venir (tú), conmigo, sábado / invitar (yo), a ti, cine.

....

c Comer (tú), mucho, chocolate / doler, a ti, estómago.

....

d Hablar (nosotros), en clase / profesora, castigar.

....

e Víctor, no llamar, a mí / enfadarse (yo).

....

f Aprobar (yo), todo / mis padres, regalar, a mí, bicicleta.

....

0.9. **Este estudiante necesita ayuda con el imperativo. Completa las siguientes frases con la forma adecuada del imperativo de los siguientes verbos.**

~~hablar~~ ▪ comer ▪ abrir ▪ completar ▪ subir ▪ entrar ▪ bajar ▪ beber ▪ correr

a ¡Por favor, ...hablad.... (vosotros) más bajo! Es imposible escuchar la radio.

b .... (usted) este formulario con sus datos personales.

c Ana, ... las escaleras despacio, que el suelo está mojado.

d ¡.............................. (vosotros) un poco y seguro que llegaréis a tiempo!

e ¡.............................. (ustedes), por favor! ¡La película va a empezar ahora mismo!

f Adrián, ... las persianas. Se está haciendo de noche y hace frío.

g ¡.............................. (usted) dos litros de agua al día y se encontrará mucho mejor!

h .... (vosotros) la ventana. ¡Hace muchísimo calor!

i .... (usted) más despacio, es más saludable.

0.10. Lee las siguientes frases con imperativo y haz las correcciones necesarias.

a La redacción está muy mal. Volve a empezar.
Vuelve

b Juguéis con más entusiasmo.
....

c ¡No empecéis de nuevo a discutir! Siempre hacéis lo mismo.
....

d ¡No durmas (vosotros) tanto!
....

e Sigue esta calle hasta el final y encontrarás un supermercado.
....

f ¡Ir a buscarlos! Creo que se han perdido.
....

g ¡Tengáis cuidado! El mar Cantábrico es muy peligroso.
....

h La ciudad por la noche es muy peligrosa. No sales (tú) hasta tan tarde, por favor.
....

i Sé más prudente. No se puede decir lo primero que te viene a la cabeza.
....

j ¡Hazed lo que queráis! A mí me da igual.
....

k No estáis tan nerviosos porque el examen va a ser muy fácil.
....

0.11. Transforma estas frases con imperativo a su forma negativa. Haz los cambios que consideres oportunos.

a Adrián, bebe la leche.
Adrián, no bebas la leche.

b Acuéstate, es muy tarde.
....

c ¡Tened cuidado, por favor! El suelo está mojado.
....

d ¡Salid de clase ahora mismo!
....

e Haced más ruido. Os oirá todo el mundo.
....

f ¡Esperadme! Voy con vosotros.
....

0.12. **Lee el manual de instrucciones de este robot doméstico. Luego, cambia los infinitivos señalados por imperativos, usando la forma *tú* y *usted*.**

Instrucciones

- Para encender, **pulsar** el botón azul del mando a distancia.
- **Elegir** idioma en el menú.
- **Saludar** al robot y **programarle** las tareas que debe hacer.
- **Dar** al icono de cada tarea y **no olvidar** guardar después.
- **Apretar** el botón central del mando para guardar.
- **Comprobar** primero si la batería del robot está cargada.
- **No ponerlo** a trabajar si tiene menos del 50% de batería.
- **Cargar** la batería enchufándolo durante media hora.
- **No cerrar** las puertas de la casa para facilitar su movimiento.
- **Poner** las cosas que necesita limpiar siempre en el mismo sitio, así lo memorizará.

Precauciones

- **Limpiar** con un trapo seco, **no usar** detergentes.
- **No dejarlo** al sol.
- **No programar** más de diez tareas cada vez.
- **Evitar** el contacto del robot con el agua.
- **No permitir** usarlo a los niños.
- **Desconectarlo** cuando se enciende el piloto rojo.

	Tú	Usted		Tú	Usted
a	....	....	k	....	....
b	....	....	l	....	....
c	....	....	m	....	....
d	....	....	n	....	....
e	....	....	ñ	....	....
f	....	....	o	....	....
g	....	....	p	....	....
h	....	....	q	....	....
i	....	....	r	....	....
j	....	....			

0.13. **Piensa en un objeto y escribe cuatro instrucciones y cuatro precauciones para su manual de uso.**

Instrucciones	Precauciones
1	1 ....
2	2 ....
3	3 ....
4	4 ....

Expresar curiosidad, incredulidad, sorpresa y dar información

1.1. **Fíjate en las expresiones resaltadas y clasifícalas en el recuadro de abajo.**

1 ¡No me lo puedo creer! Es muy extraño en él.
2 Al parecer van a suspender la obra de teatro.
3 ¡Qué fuerte me parece! La gente no tiene precaución cuando conduce.
4 Dime, dime, ¿qué nota he sacado?
5 No me lo puedo creer, ¡qué guay eso que me cuentas!
6 ¿Y eso? ¿Cómo lo sabes?
7 Según dicen, se conocieron en Londres.
8 ¡Imposible! Yo la vi ayer en clase.

a Expresa sorpresa positiva o negativa. ....
b Expresa incredulidad o contrariedad. ....
c Evita decir la fuente de su información o simplemente no la da. ....
d Expresa curiosidad y requiere más información. ....

1.2. **Relaciona estas situaciones con las intervenciones anteriores.**

a ☐ Alguien dice que vio a una compañera en un centro comercial en horario de clase.
b ☐ Alguien escucha que un chico muy tímido está haciendo un curso de interpretación.
c ☐ Dos profesores hablan de un accidente de tráfico.
d ☐ Un amigo le cuenta a otro que la noche anterior conoció a la mujer de su vida.
e ☐ Alguien le habla a otra persona del inicio de una supuesta relación entre dos famosos.
f ☐ Dos espectadores de un festival de teatro al aire libre una noche de tormenta.
g ☐ Dos amigas que están viendo los resultados de un examen.
h ☐ Alguien necesita saber quién está contando cosas de su vida privada.

Expresar finalidad y causa de una acción

1.3. **Relaciona las dos columnas para formar frases con sentido.**

1 La obra de teatro al aire libre se suspendió debido a... •
2 El coche se salió de la carretera porque... •
3 Ayer suspendí un examen por... •
4 El martes nos escribieron para... •
5 Escribo este correo con el fin de... •
6 Como no me matriculé antes del viernes... •
7 Hemos cambiado el aula prevista debido a que... •

• a no estudiar.
• b obtener información sobre los talleres.
• c la tormenta.
• d llovía mucho.
• e no pude hacer el taller.
• f hay un gran número de matriculados.
• g informarnos de los nuevos talleres.

1.4. **Clasifica las frases del ejercicio anterior en esta tabla.**

Expresiones de causa		Expresiones de finalidad	
formales	informales	formales	informales

1.5. **Este es el correo que recibieron los estudiantes del Instituto Sapientia para informarles de la existencia de un taller de cine y teatro. Léelo y transforma las frases en negrita por otras con el mismo significado.**

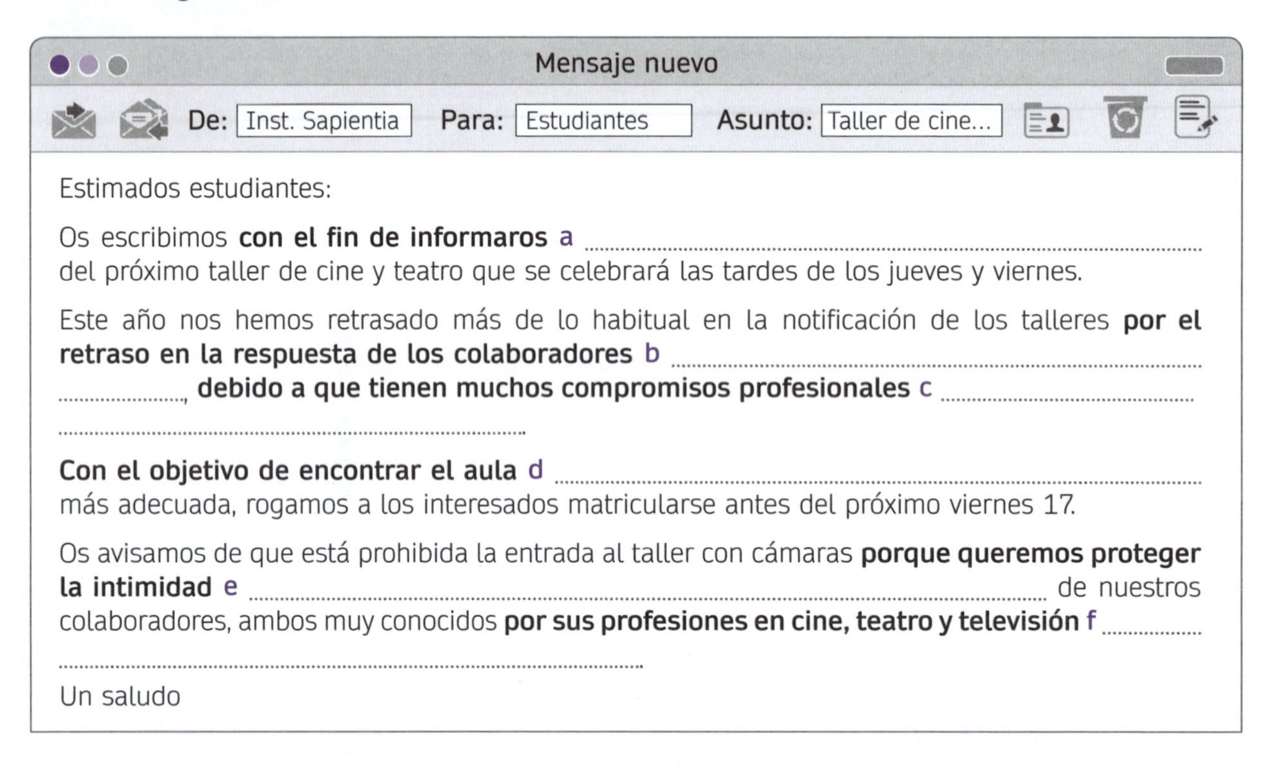

Mensaje nuevo

De: Inst. Sapientia Para: Estudiantes Asunto: Taller de cine...

Estimados estudiantes:

Os escribimos **con el fin de informaros** a .... del próximo taller de cine y teatro que se celebrará las tardes de los jueves y viernes.

Este año nos hemos retrasado más de lo habitual en la notificación de los talleres **por el retraso en la respuesta de los colaboradores** b ...., **debido a que tienen muchos compromisos profesionales** c ....

Con el objetivo de encontrar el aula d .... más adecuada, rogamos a los interesados matricularse antes del próximo viernes 17.

Os avisamos de que está prohibida la entrada al taller con cámaras **porque queremos proteger la intimidad** e .... de nuestros colaboradores, ambos muy conocidos **por sus profesiones en cine, teatro y televisión** f ....

Un saludo

1.6. **Completa estas frases con *por* o *para*.**

a .... mí, esta película es muy larga.
b Los padres de Rosa viven .... el centro.
c ¿.................... cuándo tenemos que hacer estos ejercicios?
d Al final no vimos la película porque era .... niños.
e He comprado una bicicleta .... ir a clase.
f Recibió un premio .... su larga carrera en el cine.
g Me han llegado muchas felicitaciones .... correo electrónico.

1.7. **Clasifica estas frases en su correspondiente uso de *por* y *para*.**

a Para mí, estudiar en grupo es más divertido que estudiar solo.
b No hizo bien el examen por no escuchar las instrucciones del profesor.
c Me han llamado por teléfono esta mañana.
d Hago la compra dos veces por semana.
e Ana y Luis han hecho un viaje por Francia este verano.
f ¿El autobús 24 pasa por el centro?
g ¿Para cuándo es la redacción?
h Paco fue a Londres para aprender español.

Por	
• Causa	....
• Aproximación temporal o espacial	....
• Medio de comunicación	....
• A través de	....
• Frecuencia	....

Para	
• Finalidad	....
• Tiempo límite o plazo	....
• Opinión	....

El cine y el teatro

1.8. Completa estas opiniones sobre cine y teatro con las palabras del recuadro.

obra ▪ género ▪ telón ▪ escenario ▪ cartelera ▪ taquillas ▪ director ▪ guion

Me encanta ir al cine, no me importa el **a** .... de la película y tampoco me importa hacer cola en las **b** .... Siempre consulto la **c** .... el mismo día que voy al cine. Mi hermano es más especial, siempre que elige una película se fija mucho en el **d** .... y en el **e** ....

Prefiero ir al teatro, es mucho más emocionante ver en persona a los actores actuando en el **f** .... y escuchar los aplausos cuando finaliza la **g** .... Estoy deseando volver a ver cómo se abre el **h** ....

1.9. Relaciona las siguientes expresiones con su significado.

1 El finde pasado nos fue de cine. •
2 Las películas de denuncia social suelen ser un poco lacrimógenas. •
3 Alfredo es muy dramático y últimamente está muy protagonista. •
4 Anoche nos partimos de risa con una comedia española. •
5 Lo peor de María es que es un poco peliculera. •

• a Es una persona un poco exagerada que siempre quiere ser el centro de atención.
• b Vimos una película muy divertida y nos reímos mucho.
• c Es una persona que a veces miente.
• d Fue muy divertido y agradable.
• e Hay películas con argumentos muy realistas que hacen llorar a algunas personas.

1.10. Investiga en internet y completa la ficha técnica de esta película.

Nacionalidad: .... Reparto: ....
Año de producción: ....
Año de estreno: .... Argumento: ....
Director: ....
Premios obtenidos: ....
....

RICARDO DARÍN HÉCTOR ALTERIO NORMA ALEANDRO
EL HIJO DE LA NOVIA
DIRIGIDA POR JUAN JOSÉ CAMPANELLA
CON NATALIA VERBEKE COMO NATY Y EDUARDO BLANCO

1.11. Relaciona las frases con la imagen correspondiente. Ten en cuenta que a veces puede haber más de una opción.

a Obtuvo siete premios Goya.
b Ganó un Óscar.
c Está basada en una obra de teatro.
d La dirigió Pilar Miró.
e Dirigió La Barraca.
f Cuenta la historia de una mujer atormentada porque no puede tener hijos.
g Es el autor de *Yerma*.
h Se hizo famoso en los ochenta y en la actualidad es uno de los cineastas españoles más internacionales.
i Perteneció a la Generación del 27.
j La escribió un poeta y dramaturgo de la Generación del 27.
k Escribió *La casa de Bernarda Alba* en 1935.

Géneros de cine

1.12. Relaciona las siguientes imágenes con el género de cine correspondiente.

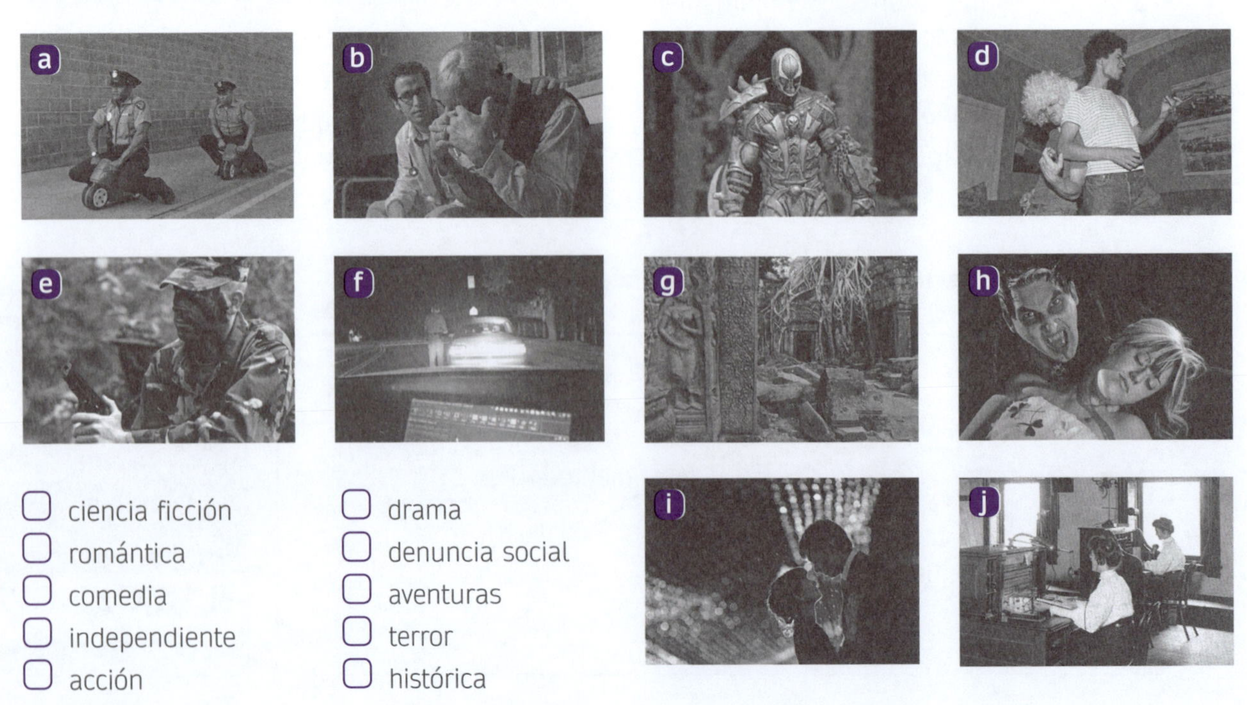

- ◯ ciencia ficción
- ◯ romántica
- ◯ comedia
- ◯ independiente
- ◯ acción
- ◯ drama
- ◯ denuncia social
- ◯ aventuras
- ◯ terror
- ◯ histórica

1.13. **Lee los siguientes títulos de películas en español. Con tu compañero/a, clasifícalas según su género. Ten en cuenta que puede haber más de una opción. ¿Puedes poner más ejemplos?**

Rápido y furioso ▪ *12 años de esclavitud* ▪ *El señor de los anillos* ▪ *Star Trek: en la oscuridad*
Resacón en Las Vegas ▪ *Grita libertad* ▪ *Carrie* ▪ *La lista de Schindler*
Diez cosas que odio de ti ▪ *Trainspotting*

Comedia	Drama	Terror	Romántica	Ciencia ficción

Acción	Denuncia social	Histórica	Independiente	Aventuras

Revisión de pasados

1.14. **Elige la opción correcta.**

1 Cuando terminé Primaria...
- a tuve 12 años.
- b tenía 12 años.
- c he tenido 12 años.

2 Cuando yo nací, mi hermana...
- a tenía cuatro años.
- b tuvo cuatro años.
- c ha tenido cuatro años.

3 La semana pasada...
- a recibimos un correo del Departamento de Literatura.
- b recibíamos un correo del Departamento de Literatura.
- c hemos recibido un correo del Departamento de Literatura.

4 Este año...
- a hemos organizado un taller de cine y teatro.
- b organizábamos un taller de cine y teatro.
- c organizamos un taller de cine y teatro.

1.15. **Este es el correo que Javier escribe a un amigo para contarle qué tal va el taller de cine y teatro que está realizando. Atención, hay cuatro verbos en un tiempo del pasado no adecuado. Corrígelos.**

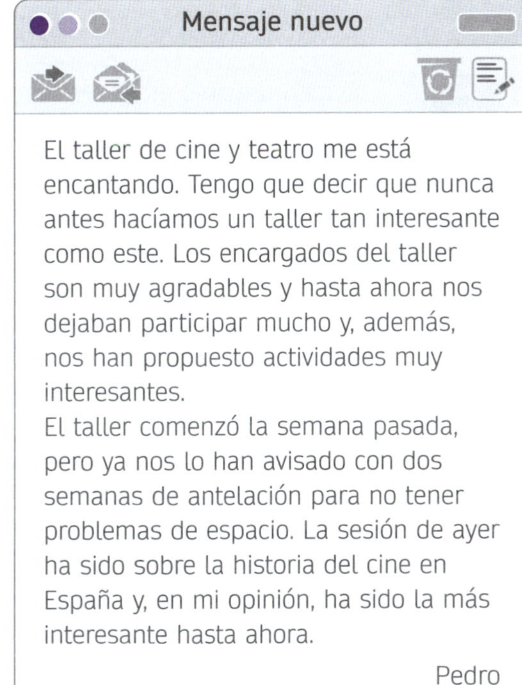
Mensaje nuevo

El taller de cine y teatro me está encantando. Tengo que decir que nunca antes hacíamos un taller tan interesante como este. Los encargados del taller son muy agradables y hasta ahora nos dejaban participar mucho y, además, nos han propuesto actividades muy interesantes.
El taller comenzó la semana pasada, pero ya nos lo han avisado con dos semanas de antelación para no tener problemas de espacio. La sesión de ayer ha sido sobre la historia del cine en España y, en mi opinión, ha sido la más interesante hasta ahora.

Pedro

1.16. **Los chicos de este taller tienen la oportunidad de entrevistar a este famoso director de cine. Imagina que tú eres el director y contesta a estas preguntas.**

a ¿A qué te dedicabas antes de ser director? ....

b ¿Cuándo decidiste ser director? ....

c ¿Cuál ha sido tu rodaje más difícil? ....

d ¿Cómo eras cuando estabas en el instituto? ....

1.17. **Observa estas imágenes y completa en primera persona las historias usando las palabras propuestas.**

Ana tuvo una fiesta la semana pasada e intentó ponerse unos vaqueros que compró hace dos años.

quedar pequeños ▪ el otro día ▪ ponerse ▪ elegir ▪ como

Ana: ....

Sergio estaba buscando un piso para compartir en Salamanca. Vio este pero no le gustó.

alquilar ▪ ayer ▪ ir a ver ▪ como ▪ al final ▪ muy oscura

Sergio: ....

Dani no recibió el correo con la información del nuevo taller, pero estaba muy interesado.

recibir ▪ tener que llamar ▪ matricularse ▪ como ▪ para

Dani: ....

Luisa se fue a estudiar a la biblioteca porque en su casa había mucho ruido.

irse ▪ estudiar ▪ ruido ▪ como

Luisa: ....

Marcadores del relato

1.18. Completa la historia con las frases que aparecen a continuación.

El lunes pasado ...., después de .... Al principio .... más tarde, ..., entonces .... Al día siguiente .... Inmediatamente después .... y, al final, ...

- a hablar con Daniela sobre los nuevos talleres
- b cambié de opinión porque Daniela me convenció
- c me escribieron para decirme que ya no había plazas porque se había llenado el aula
- d el profesor Paco me aceptó en el taller y me dijo que se habían cambiado a un aula más grande
- e no me apetecía mucho hacerlo porque soy muy tímido, pero
- f me matriculé en un taller de cine y teatro en mi instituto
- g escribí rápidamente para matricularme
- h llamé al Departamento de Literatura para intentar hablar con el responsable del taller

1.19. Ahora, completa esta otra historia usando los marcadores adecuados en los espacios señalados.

al principio ▪ por cierto ▪ entonces ▪ después ▪ hace unos días ▪ al final

a .... fui con mi hermano a ver una película al cine. **b** .... yo no quería porque estaba muy cansada, pero **c** .... mi hermano me convenció. **d** .... tuvimos un problema para elegir la película: yo quería ver una de amor, pero mi hermano prefiere las pelis de acción. **e** .... sugerí ver una de terror para no discutir por la película y, **f** ...., nos encantó a los dos.

Pretérito pluscuamperfecto

1.20. Fíjate en las siguientes frases en pretérito perfecto y trasládalas a un momento anterior; para ello, no te olvides de utilizar las personas y los tiempos adecuados.

Momento anterior al presente		Momento anterior al anterior
a ¡Qué tarde es y todavía no se ha levantado nadie!	→	**a** ¡Qué tarde era y todavía no .... (levantarse) nadie!
b ¡Me he olvidado las llaves en la escuela y no puedo entrar en casa!	→	**b** (Olvidarse) .... las llaves en la escuela y no pude entrar en casa.
c ¡Qué rápidos! ¡A las diez ya habéis acabado!	→	**c** ¡Qué rápidos! ¡A las diez ya .... (acabar).
d Estás tan moreno porque has ido mucho a la playa.	→	**d** Estabas tan moreno porque .... (ir) mucho a la playa.
e Mi madre ha preparado una paella.	→	**e** Mi madre .... (preparar) una paella.

1.21. **Piensa en tu vida y responde a estas preguntas.**

a ¿Recuerdas las películas que habías visto antes de cumplir 15 años?
Antes de cumplir 15 años ya... ....

b ¿Cuántos libros de español habías utilizado antes de este?
Antes de este libro... ....

c ¿Con cuántas personas habías hablado ayer cuando llegaste a casa?
Cuando llegué a casa ya... ....

PRONUNCIACIÓN Y ORTOGRAFÍA

La letra *h*

1.22. **Busca en esta sopa de letras ocho palabras que se escriben con hache.**

T	B	H	O	R	M	I	G	A	H
U	H	I	T	H	P	X	U	F	E
J	Y	E	B	A	E	Z	G	Q	A
H	O	L	A	B	H	H	E	R	B
U	H	O	I	I	O	Í	T	U	R
E	A	H	P	T	M	C	E	H	E
V	X	M	C	V	U	H	N	I	I
O	M	A	T	Ó	P	O	P	I	H

1.23. **Elige la opción correcta.**

a Quita el bolso de **hay** / **ahí** / **ay**, no es un lugar seguro.
b Esta semana hemos **hecho** / **echo** muchos exámenes.
c Hoy es un poco peligroso bañarse en el mar con estas **holas** / **olas**.
d Corren porque creen que no va a **ver** / **haber** billetes.

CULTURA

Breve historia del cine español

1.24. **Contesta verdadero (V) o falso (F).**

a Ⓥ Ⓕ El cine español sufrió una grave crisis en los 70.
b Ⓥ Ⓕ La primera película española no documental es de principios del siglo XX.
c Ⓥ Ⓕ El director de cine Pedro Almodóvar triunfó internacionalmente en los 90.
d Ⓥ Ⓕ Durante la Dictadura se produjeron muchas películas con cantantes como protagonistas.
e Ⓥ Ⓕ El cine español empezó a triunfar en el extranjero en el año 2000.

1.25. **Ahora lee este texto sobre el director Guillermo del Toro y responde a las preguntas.**

GUILLERMO DEL TORO

Su *"boom"* como director llegó con *Cronos* (1993), película que le abrió de par en par las puertas de Hollywood. Sin embargo, su estreno en Estados Unidos con *Mimic* (1997) no fue demasiado exitoso y decidió regresar a México formando su propia productora, The Tequila Gang. Volvió a ganarse el respeto de los críticos con *El espinazo del diablo* (2001) y triunfó definitivamente en el género fantástico con *Blade II* (2002) y *Hellboy* (2004). En 2006 fue nominado a los premios de la Academia de Hollywood por *El laberinto del fauno*, en la categoría de mejor guion original. El film se llevó tres Óscar (maquillaje, fotografía y dirección artística) y siete Goyas, entre ellos el de mejor guion para Del Toro (no así el de mejor director). Por cierto, Guillermo confesó haber perdido 20 kilos durante el rodaje de dicha película. En 2018 su producción, *La forma del agua*, fue nominada a 13 Óscar y consiguió cuatro estatuillas: a la mejor película, al mejor director, a la mejor banda original y al mejor diseño de producción.

a Ordena estos títulos de Guillermo del Toro, del más antiguo al más moderno.

- ☐ *Blade II*
- ☐ *El laberinto del fauno*
- ☐ *Mimic*
- ☐ *Hellboy*
- ☐ *Cronos*
- ☐ *La forma del agua*
- ☐ *El espinazo del diablo*

b ¿Qué premios ganó del Toro por *El laberinto del fauno*?

....

c ¿Cuánto adelgazó Del Toro durante un rodaje?

....

d ¿Cuántos Óscar consiguió hasta 2018?

....

EVALUACIÓN

Comprensión de lectura

1.26. **Lee este texto y elige las opciones correctas.**

El 11 de octubre de 1896, Eduardo Jimeno Correas filmó *Salida de la misa de doce del Pilar de Zaragoza* con la primera cámara Lumière que un año antes había comprado en Lyon, Francia. Un año después, el barcelonés Fructuós Gelabert filmó *Riña en un café*, la primera película española con argumento. El siglo XX comenzó con una producción de cine experimental, representado por directores como Luis Buñuel que, con impactantes películas como *Un perro andaluz*, consiguió el prestigio internacional y cierto escándalo en España.

Cuando en 1928 llegó el cine sonoro a España, pocas productoras habían desarrollado medios técnicos para realizar películas, esto provocó una crisis en la producción de trabajos cinematográficos. Posteriormente, el cine producido durante la dictadura de Francisco Franco fue, en general, un medio de propaganda de las ideas políticas, morales y religiosas oficiales. Las películas contrarias a la dictadura se censuraban o, simplemente, se prohibían.

A partir de los años ochenta comienza un gran periodo para el cine español. Directores como Pedro Almodóvar, José Luis Garci y Montxo Armendáriz, entre otros, iniciaron en estos años sus carreras y las desarrollaron con éxito nacional e internacional. Además, en 1986 se fundó la Academia de las Artes y las Ciencias Cinematográficas, organismo encargado de la organización de los famosos premios Goya y que ha promocionado y difundido los méritos del cine producido en este país. En la actualidad son muchos los directores españoles con éxito y reconocimiento internacional.

>>>

1 La primera película española...

a fue de ficción.
b se filmó a la salida de una iglesia.
c se filmó con una cámara fabricada en España.

2 El cine de Luis Buñuel tuvo proyección internacional...

a y gran aceptación entre el público en España.
b y provocó una crisis cinematográfica.
c y comenzó siendo de carácter experimental.

3 El gobierno del dictador Francisco Franco...

a promocionó películas de cine experimental.
b estableció la Academia de las Artes y las Ciencias Cinematográficas.
c prohibió películas contrarias a la dictadura.

4 El director Montxo Armendáriz inició su carrera profesional...

a durante la dictadura de Franco.
b en los años ochenta.
c en 1986, cuando fundó la Academia de las Artes y las Ciencias Cinematográficas.

Comprensión auditiva

1 **1.27. Escucha a estas personas y decide quiénes son.**

	1	2	3	4
a Un/a actor/actriz				
b Un/a director/a de cine				
c Un/a espectador/a				
d Un/a estudiante de Arte Dramático				

1.28. Responde a las preguntas.

a ¿De qué género de cine se habla en la intervención 1?

b ¿Por qué quiere trabajar la persona de la intervención 2 con Pedro Almodóvar?

c ¿Qué hacía la persona de la intervención 3 cuando era pequeño?

d ¿Qué tipo de cine hace la persona de la intervención 4?

Expresión e interacción escritas

1.29. **Imagina que participas en el taller de cine y teatro. Escribe un correo electrónico a un/a amigo/a explicándole los detalles del taller y contándole toda la información que tienes de este y de los organizadores. No olvides incluir marcadores para dar cohesión al texto.**

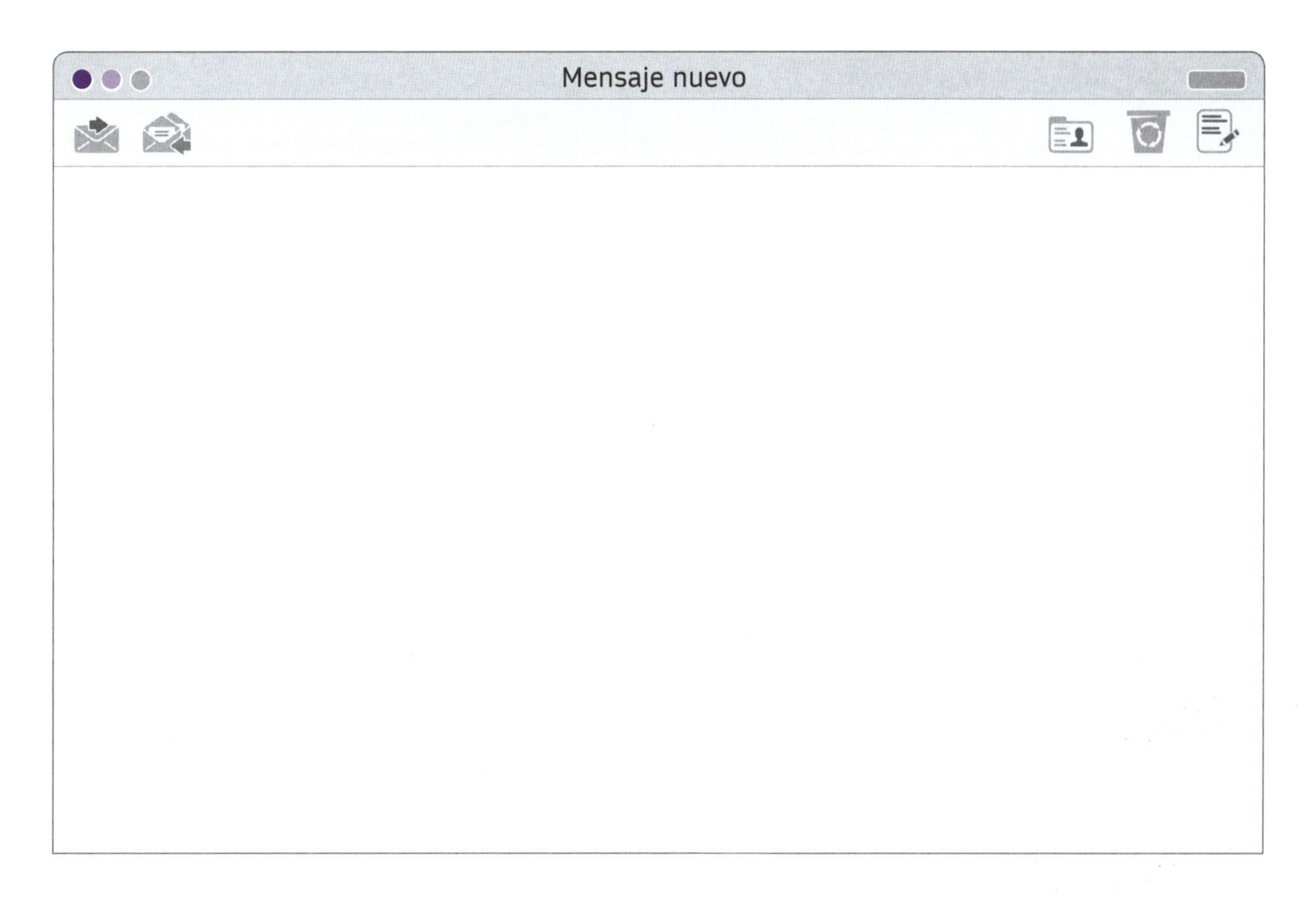

Expresión e interacción orales

1.30. **Imagina que vas a actuar en una obra de teatro. Explica los detalles de la obra a tus compañeros y cuál es tu personaje.**

Pedir y dar consejos o recomendaciones

2.1. **Completa los espacios con los siguientes verbos.**

puedo ▪ deberías ▪ comes ▪ coge ▪ podrías

a ¿.................................. aconsejarme? Es que no sé qué hacer en esta situación.

b ¿Y si .... menos carne?

c .... cocinar con menos aceite.

d ◗ ¿Qué .... hacer? Voy a llegar tarde.

◗ .... el metro, es más rápido que un taxi.

2.2. **Hiro es un guía turístico japonés y da algunos consejos sobre diferentes ciudades españolas a sus clientes. Escribe el verbo adecuado en cada espacio. Después, relaciona los consejos con las ciudades y su descripción.**

ten
haría
tomaría
sería
reserva

1 • Yo que tú, ... un ferry desde la misma ciudad, porque es el que más horarios tiene.
• Yo .... el viaje en ferry para poder ver el paisaje de las Islas Atlánticas a lo lejos.
• Si vas a quedarte en el *camping*, ... antes y .... decidido con antelación cuánto tiempo te vas a quedar.
• Yo en tu lugar, ... precavido para no tener problemas de alojamiento.

visitaría
ir

2 • Si visitas esta ciudad, deberías .... a esa plaza tan famosa que es una de las más antiguas de España.
• Yo también .... los teatros y cines más importantes de la ciudad, así como el lugar donde empiezan todas las carreteras españolas.

iría
dejaría
visitaría
llevaría

3 • Yo que tú, ... unos zapatos cómodos para poder recorrer todos los rincones del casco antiguo.
• Yo .... el coche en un *parking*, ... hasta la Plaza Mayor y desde allí .... las famosas casas, la Catedral, el Ayuntamiento...

visitaría
vería
aprovechas

4 • Yo primero .... el monumento que está cercano al río.
• ¿Por qué no .... también para caminar a orillas del río Guadalquivir? Después, yo .... la Catedral y, por supuesto, su torre más famosa.

a Madrid

Es la capital de España y cuenta con diferentes monumentos, museos, paseos y características que la hacen una ciudad acogedora y con mucho movimiento a la vez.

La Puerta del Sol es una de sus plazas más conocidas. Allí puedes encontrar la famosa estatua del Oso y el Madroño, así como el kilómetro cero de todas las carreteras españolas.

A pocos metros de la Puerta del Sol y el Palacio Real, encontramos la Plaza Mayor, una de las más antiguas de España.

La Gran Vía es la calle más famosa de Madrid, en la que encontraremos los cines y teatros más importantes de la ciudad.

La Puerta de Alcalá es uno de los monumentos más representativos, fue construida por Francisco Sabatini durante el reinado de Carlos III.

Consejo .... **Foto** ....

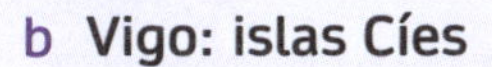

b Vigo: islas Cíes

El archipiélago de las islas Cíes está situado a la entrada de la Ría de Vigo, en la provincia de Pontevedra, España. Las islas Cíes son tres: la isla Monteagudo o isla Norte, la isla Do Faro o isla do Medio y la isla San Martiño o isla Sur.

En los años 80 las islas fueron declaradas Parque Natural y en el 2002 Parque Nacional marítimo-terrestre de las Islas Atlánticas, junto con otras islas gallegas como Ons, Sálvora, Noro, Vionta, Cortegada y Malveiras, todas ellas en las Rías Baixas gallegas.

La costa de la vertiente este tiene árboles que llegan hasta la arena blanca, que es suave y esponjosa. La vertiente oeste tiene afilados y abruptos acantilados que son refugio de las miles de aves que habitan la isla.

Consejo .... **Foto** ....

c Sevilla

Hay dos monumentos que se han convertido en iconos de la ciudad: la Torre del Oro y la Giralda. La Torre del Oro es una fortificación que se encuentra a orillas del Guadalquivir, data del siglo XI y fue usada como torre defensiva, prisión o almacén de las riquezas que venían de las colonias americanas; actualmente alberga el Museo Naval. La Giralda es la torre del campanario de la Catedral, y hubo una época en la que fue la más alta del mundo con sus casi 98 metros.

Consejo .... **Foto** ....

d Cuenca

Toda la parte antigua de Cuenca es un monumento en sí misma, un laberinto casi infinito, mágico y único repleto de callejuelas, rincones románticos, miradores, rejas, escaleras, fuentes, plazas y muchas cuestas empinadas. Lo más característico de Cuenca son sus Casas Colgadas, la Catedral, el Ayuntamiento y el puente de San Pablo.

Consejo .... **Foto** ....

Pedir permiso y favores

2.3. **Relaciona para formar diálogos con sentido.**

1 ¿Te importa si uso tu diccionario? •	• a Es que ya nos vamos al recreo.
2 ¿Puedo ir al baño? •	• b Es que la mía la he perdido.
3 ¿Podría esperar en la sala? •	• c Es que el mío me lo he dejado en casa.
4 ¿Me dejas tu goma? •	• d Es que el señor Ruiz no está.
5 ¿Le importaría dejarme pasar? •	• e Es que me bajo en la siguiente parada.
6 ¿Podrías recoger tus cosas? •	• f Es que necesito lavarme las manos.

2.4. **Clasifica las siguientes expresiones de cortesía, solicitud o ruego según su grado de formalidad.**

	Muy formal	Formal	Informal
a ¿Te importaría cerrar la puerta?	◯	◯	◯
b ¿Sería tan amable de facilitarme su número de teléfono?	◯	◯	◯
c ¿Me dejas el libro de García Márquez?	◯	◯	◯
d ¿Podrías dejarme tu chaqueta negra?	◯	◯	◯
e Disculpe, ¿sería tan amable de cederme el sitio en la cola?	◯	◯	◯
f ¿Te importaría acompañarme a la fiesta de graduación?	◯	◯	◯

2.5. **Ahora relaciónalas con las excusas o justificaciones que las suelen acompañar.**

1 Es que tengo mucha prisa. ....
2 Es que todavía no lo he leído. ....
3 Es que la mía está en el tinte. ....
4 Es que lo necesito para poder llamarla y darle la información que necesita. ....
5 Es que entra muchísimo frío. ....
6 Es que no tengo a nadie que venga conmigo. ....

Expresar probabilidad o hipótesis en el pasado

2.6. **Relaciona los diálogos con las imágenes.**

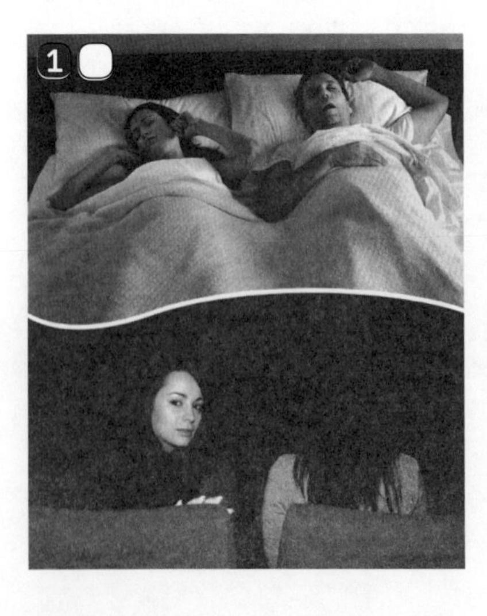

Diálogo A

- ¿Qué le pasa a Paula, que está llorando?
- Es que le ha ido muy mal en el examen de lengua.
- ¿Por qué? ¿Qué le pasaría?
- Supongo que no estudiaría lo suficiente.

Diálogo B

- Pobre Juanito, siempre lo regaña la profesora.
- Es que siempre hace alguna tontería en clase. Mira que romper una ventana.
- Bueno… lo haría sin querer.

Diálogo C

- ¿Por qué no pruebas mi ensalada? Está riquísima.
- No, gracias. Es que, desde ayer, me duele el estómago.
- Comerías algo que te sentó mal.

Diálogo D

- La película va a empezar en cinco minutos y todavía no han llegado.
- Sí, es muy raro, porque quedamos a las nueve y ya son las 9:25.
- ¡Qué raro! Estarían cansados del viaje, se acostarían y se quedarían dormidos…

La comida

2.7. **Escribe el nombre de estos alimentos y relaciónalos con su definición correspondiente.**

1 .... 2 .... 3 .... 4 ....

5 .... 6 .... 7 .... 8 ....

a Embutido de color rojo, hecho de carne de cerdo y especias.
b Postre cremoso que se obtiene de la leche y que puede ser natural o de sabores.
c Fruta de color verde.
d Verdura de piel verde y carne blanca.
e Sustancia espesa que se forma en la superficie de la leche.
f Embutido de color rosa oscuro, hecho con jamón, tocino y pimienta.
g Sustancia parecida a la mantequilla, que se extrae de ciertas grasas animales y de aceites vegetales.
h Dulce pequeño, hecho con los mismos ingredientes que el bizcocho.

2.8. Ordena el siguiente texto sobre la alimentación en los jóvenes.

a ◯ Se suele abusar de los refrescos, que añaden cantidades de azúcares añadidos, de la comida rápida y de los *snacks* (patatas fritas, palomitas, galletas saladas, etc.), que aportan una gran cantidad de energía innecesaria.

b ◯ Los jóvenes cada vez son más independientes a edades más tempranas y, por tanto, cada vez deciden más qué comer, y también dónde, cómo y cuándo quieren hacerlo.

c ◯ Es importante hacer hincapié en que la principal bebida que se debe tomar a lo largo del día es el agua, consumir *snacks* con moderación y optar por alternativas saludables para acompañar la pizza y las hamburguesas, como pueden ser ensaladas o verduras. Todo ello acompañado por la práctica de algún deporte, para favorecer la salud, la autoestima y la relación con los demás.

d ◯ Este hecho puede llevar a algunos desarreglos en la alimentación. Esto, unido a una oferta cada vez mayor de alimentos, acompañada de un bombardeo publicitario, y sumándole el excesivo culto al cuerpo, hace que la alimentación en esta etapa de la vida no sea todo lo correcta que debería ser.

2.9. Selecciona el alimento teniendo en cuenta la definición.

1 Se la denomina "carne blanca": ....

a costilla de cordero b chuleta de cerdo c pechuga de pollo d solomillo de ternera

2 No es un embutido: ....

a salchichón b chorizo c solomillo d jamón

3 Es una verdura: ....

a guisantes b lentejas c espinacas d judías

4 No es un cítrico: ....

a plátano b naranja c kiwi d limón

5 Contiene frutas: ....

a yogur natural b yogur desnatado c yogur con fresas d galletas

6 Es una legumbre: ....

a berenjena b espinacas c calabacín d judía

2.10. Escribe las letras que faltan en las siguientes palabras ayudándote de su definición.

a Hacer comestible un alimento crudo poniéndolo en agua caliente durante un tiempo determinado:
c.....c..........

b Peso por encima del normal:
s..........r.....p..........

c Tipo de dieta muy valorada en España porque sigue los valores de la dieta tradicional y es muy buena para la salud. Incluye aceite de oliva, frutas y verduras:
dieta m..........err.....n..........

d Tipo de leche sin grasa:
leche .....e..........at.....d.....

e Tipo de ensalada que lleva lechuga, tomates, atún, aceitunas y cebolla:
ensalada ....

f Quitar el agua sobrante a los alimentos:
e..........rr..........

¡A cocinar!

2.11. **Busca en la sopa de letras 6 verbos y 4 alimentos. Después, completa las frases con esas palabras.**

Verbos

Ñ	M	V	E	P	O	N	E	R
U	Z	A	R	F	U	A	I	A
I	C	J	I	O	A	Ñ	U	G
C	O	N	G	E	L	A	R	A
Z	C	A	R	R	I	D	R	U
J	E	U	Z	A	J	I	Z	J
I	R	A	U	I	F	R	O	N
J	R	I	R	R	U	C	S	E

Alimentos

R	I	A	R	P	G	U	A	H	V
I	U	H	L	E	C	H	U	G	A
G	R	R	I	S	A	T	H	A	H
R	R	A	E	C	I	A	T	R	U
Z	Z	A	J	A	A	T	E	B	T
U	I	I	F	D	U	A	T	A	F
R	D	E	G	O	T	G	U	N	A
E	A	I	T	A	U	I	F	Z	F
S	A	J	E	T	N	E	L	O	E
H	F	A	H	I	U	T	A	S	I

a Esta ensalada está muy sosa. Tienes que .... un poco de sal y de aceite.

b ¿Por qué no .... la .... antes de ponerla en la ensalada? Es una cuestión de higiene. De esa manera te evitas enfermedades.

c Hay que .... en remojo los .... para que no queden duros.

d Pero... le estás dejando toda el agua a la lechuga. La ensalada va a estar horrible... ¿y si la .... antes?

e El .... congelado sabe bastante parecido al fresco. Si no tienes mucho tiempo para hacer la compra, ...

f .... las .... lentamente. A fuego lento se harán mejor y no se desharán.

2.12. **Completa la receta de cocina con las siguientes palabras.**

enjuagar ▪ añadir ▪ poner en remojo ▪ guisar ▪ cocer ▪ escurrir (x2)

Necesitas medio kilo de garbanzos. Para ablandarlos, los tendrás que **a** .... el día anterior. Pasado ese tiempo, los deberás **b** .... bien, quitándoles el agua sobrante. Las espinacas, si son frescas, se deben **c** .... muy bien para eliminar la tierra que pueden traer; también se pueden usar las espinacas congeladas.

En primer lugar, debemos **d** .... las espinacas cubriéndolas de agua, a fuego lento durante unos diez minutos. Después de retirarlas del fuego, para quitarles el agua, las tenemos que **e** .... y dejar a un lado. A continuación, por separado, tenemos que **f** .... los garbanzos con agua, aceite, ajo, cebolla y pimienta. Una vez tiernos los garbanzos, ya podemos **g** .... las espinacas. Lo dejamos todo en el fuego durante unos dos minutos y ya tendremos listo ¡un delicioso guiso de garbanzos con espinacas!

Condicional simple

2.13. **Marca cuáles de los siguientes verbos son irregulares en condicional simple y conjúgalos.**

a salir
b quedar
c poder
d pelar
e estar
f hacer
g escurrir
h ser
i sentarse
j decir
k comer
l poner

>>>

	....	....	....	....	....
yo					
tú					
el/ella/usted					
nosotros/as					
vosotros/as					
ellos/ellas/ustedes					

2.14. **Completa el texto utilizando las siguientes palabras. Ten en cuenta que los verbos hay que conjugarlos.**

espinacas ▪ nata ▪ costillas de cordero ▪ quedarse ▪ deber ▪ ensalada
garbanzos ▪ mejorar ▪ potaje ▪ bizcocho ▪ frutas

El otro día fuimos al cine con Marisa y Esteban. Llegaron tarde pero no nos dieron ninguna explicación. Supongo que **a** .... dormidos después del largo viaje que hicieron desde La Coruña. La película no me gustó demasiado... La protagonista lloraba todo el tiempo y el argumento era demasiado dramático, con unas cuantas risas de por medio, la película **b** .... bastante.

Después del cine, nos fuimos a cenar al restaurante de siempre. Yo me comí unas **c** .... con **d** .... y de postre una macedonia de **e** ....

El que está un poco loco es Esteban, porque se pidió un **f** .... de **g** .... con **h** .... para cenar y de postre un **i** .... con **j** .... Esa es una cena bastante pesada. **k** .... cuidarse un poco más porque la verdad es que está bastante gordito.

2.15. **Transforma los consejos y sugerencias para llevar una alimentación sana utilizando las formas que te proponemos.**

a Comer alimentos variados a lo largo del día.
Yo que tú,... ....

b Comenzar todos los días con un desayuno completo a base de frutas, cereales y lácteos.
¿Por qué no... ....?

c Repartir lo que comes en cuatro o cinco comidas durante el día.
Yo... ....

d Beber mucha agua al día.
Yo en tu lugar,... ....

e Tener cuidado con los refrescos, que no alimentan y además engordan.
Yo... ....

f Comer pescados, legumbres, huevos y carnes magras.
Deberías... ....

g Disminuir los fritos, rebozados y alimentos grasos.
Yo que tú,... ....

h Aumentar el consumo de frutas y verduras que aportan vitaminas, minerales y muy pocas calorías.
¿Y... ....?

i Disminuir el consumo de grasas animales, dulces, bollería y sal.
Yo en tu lugar,... ....

j No picar entre horas. Tener a mano frutas u hortalizas por si te entra hambre.
Yo que tú,... ....

k Moverse. Hacer ejercicio a diario.
Yo... ....

PRONUNCIACIÓN Y ORTOGRAFÍA

La letra *y*, la letra *x* y la cursiva

2.16. **Completa con *x*, *s* o *y* donde sea necesario.**

a Los bue.....es tiraron del carro hasta que se agotaron.
b Entiendo casi todo lo que me dicen en inglés pero no sé e.....presarme correctamente.
c Ese profesor es muy e.....timado entre sus colegas.
d Aunque Pedro es republicano respeta mucho a los re.....es.
e ¿Te lo tengo que e.....plicar todo de nuevo?
f No o.....ó bien el cla.....on y chocó contra el coche.
g Para que te quede mejor la tarta, tienes que e.....tirar la masa.
h Hu.....ó y no respetó jamás las le.....es.
i La e.....tupidez de ese chico, al que no quiero nombrar, no tiene límites.
j Las conferencias conclu.....eron con el discurso del presidente de la Academia.

2.17. **En las siguientes frases hay errores. Descúbrelos y corrígelos.**

a Las leies de mi país son muy estrictas. ....
b El periódico El País publicó una noticia sobre los reies de España. ....
c Si sigues comiendo así, vas a esplotar. ....
d En muchos conciertos los cantantes hacen playback. ....
e La semana pasada mi hermano se caió en la ducha y se golpeó la cabeza. ....
f El ladrón huió por los edificios con la famosa obra de arte La Gioconda. ....
g El estilo espresionista pertenece al siglo XX. ....

2.18. **Subraya en los textos las partes que deberían ir en cursiva.**

a Cuando vas al Museo del Prado de Madrid, hay tantos cuadros y tantas colecciones expuestas, que es muy difícil decidir qué visitar. Ante esta dificultad, el museo propone algunos recorridos para poder apreciar las principales obras maestras que se exponen. Según la recomendación del Museo del Prado, no hay que dejar de ver obras cumbres de los maestros europeos como La Anunciación de Fra Angélico, El Lavatorio de Tintoretto, El Descendimiento de Roger van der Weyden, El Jardín de las delicias del Bosco o Las tres gracias de Rubens; junto con obras clave de la escuela española como Las Meninas de Velázquez, El sueño de Jacob de Ribera o Los Fusilamientos del 3 de mayo de Goya...

>>>

b Hay obras literarias muy famosas en la literatura hispanoamericana que destacan por diferentes cuestiones y que son altamente recomendables: Cien años de Soledad de Gabriel García Márquez, porque mezcla la fantasía y la realidad en el pueblo mítico de Macondo; Rayuela, de Julio Cortázar, porque es una gran obra y tiene gran estilo, así como El Aleph, de Borges. Octavio Paz, con El laberinto de la soledad, transmite un gran sentido de la responsabilidad social y Miguel Ángel Asturias, autor guatemalteco, denuncia y describe la dictadura de su país en El señor presidente. Por último, 20 poemas de amor y una canción desesperada, de Pablo Neruda, premio Nobel chileno, es también altamente recomendable para la lectura, así como El siglo de las luces, de Alejo Carpentier.

Cuidamos nuestra salud

2.19. **Di si las siguientes afirmaciones sobre el sistema sanitario español son verdaderas (V) o falsas (F).**

a Ⓥ Ⓕ España es el primer país del mundo en trasplantes y donación de órganos.
b Ⓥ Ⓕ El sistema sanitario español no cubre la asistencia de los ciudadanos extranjeros.
c Ⓥ Ⓕ En general, los españoles no están satisfechos con su sistema nacional de salud.
d Ⓥ Ⓕ El sistema de vacunación cubre a casi la totalidad de la población española.
e Ⓥ Ⓕ La esperanza de vida en España es la cuarta más alta de la Unión Europea.
f Ⓥ Ⓕ En España nacen muy pocos niños.
g Ⓥ Ⓕ La asistencia sanitaria en España tiene largas listas de espera.

2.20. **Responde a las siguientes preguntas sobre la alimentación en España y comenta con tus compañeros.**

a ¿Qué es para ti la dieta mediterránea? ....

b ¿Qué tipo de dieta sigues tú? ....

c ¿Crees que la comida influye en la salud? ¿Cómo? ....

d ¿Crees que se debería educar a los jóvenes sobre hábitos correctos de alimentación? ....

2.21. **Lee el blog de Miguel y añade tus propias recomendaciones sobre comidas de otros países.**

http://www.miguelfernandez.net

El blog de Miguel Fernández

18 de febrero

Los que me siguen saben que creé este blog como un diario cuando empecé la universidad.

Hoy les voy a contar cómo cambiaron mis hábitos de alimentación.

Cuando vivía con mis padres comía la **comida tradicional española**, ya saben: garbanzos, lentejas, judías... Muchas ensaladas, berenjenas, calabacines, espinacas, también mucho pescado y, claro, carne, pollo, chuletas, bistec...

Lo que no echo de menos son las cerezas ni los melocotones, ¡no me gustan!

Sin embargo, ahora que estoy fuera de España, estoy conociendo comidas del mundo y me están encantando también. ;)

La semana pasada fui a un **restaurante peruano** y comí de primero tomates chinchanos, que es un pastel de maíz en hoja de plátano, y de segundo *tacu tacu* con entrecot, que es tortilla de arroz y frijoles con entrecot. ¡Fenomenal!

Esta semana he ido a un **restaurante Thai** y he probado una sopa de langostinos con especias que se llama *tom yam kung* y un curry verde de pescado que no recuerdo el nombre. ¡Delicioso! Quería probar el famoso *pad thai kai* tallarines con pollo, verduras y cacahuetes, pero ya no podía más...

Estoy entusiasmado: quiero continuar probando la comida de otros países y necesito vuestra ayuda. Recomendaciones, por favor. ;)

Currículum
Contacto
Archivos antiguos
En Facebook
Pinterest
Mis fotos en Flickr

Respuestas

1 Yo que tú, ...

2 ....

3 ....

2.22. **Clasifica los alimentos mencionados en el blog en las siguientes categorías.**

Verduras	Legumbres	Carnes	Frutas

2.23. **Prepara una presentación sobre una comida de algún país hispano. ¿Qué platos nuevos has descubierto?**

Comprensión de lectura

2.24. Lee el texto y, luego, completa las frases.

El colegio de mis sueños

Muchas veces pienso en cómo sería el colegio de mis sueños. Sería tan grande como un palacio y todos los días habría una gran fiesta.

Las clases empezarían tarde, a las doce del mediodía y acabarían a las dos de la tarde. Las aulas serían enormes y no habría mesas ni sillas para los estudiantes porque entraríamos en nuestros coches y sentados en ellos escucharíamos las explicaciones del profesor. El profesor se sentaría en su mesa, que tendría un sillón y una pizarra inteligente.

Para no cansarnos demasiado, tendríamos algunas clases con camas donde dormiríamos la siesta. Todos los días jugaríamos y haríamos competiciones. No tendríamos exámenes y estudiaríamos con libros conectados a internet.

El patio del colegio tendría animales, jardines y fuentes. Cada día me pondría un vestido de un color diferente que guardaría en mi casillero. Ah, y aquí todo el mundo hablaría muchos idiomas. ¡Me gustaría tanto vivir así!

- **a** El horario del colegio sería... ....
- **b** Las aulas serían... ....
- **c** Habría otras aulas para... ....
- **d** En su sueño estudiarían... ....
- **e** Todos los días ella vestiría... ....

Comprensión auditiva

2 **2.25. Escucha y escribe los consejos que dan algunas personas. Después, relaciónalos con la situación correspondiente.**

Consejos

1 ▢ ....
2 ▢ ....
3 ▢ ....
4 ▢ ....
5 ▢ ....
6 ▢ ....

Situaciones

- **a** ¡Quiero hacerme voluntario de esta ONG ahora mismo!
- **b** Ya no tengo más espacio para colocar más libros, además están carísimos...
- **c** Tengo que ir a ver a Sonia, la he visto muy preocupada y triste hoy...
- **d** Vi una bici estupenda en una página web...
- **e** Últimamente estudio por la noche y por el día tengo mucho sueño...
- **f** De un tiempo a esta parte en la biblioteca hay mucho ruido...

Expresión e interacción escritas

2.26. **Un amigo tuyo come fatal. Se alimenta básicamente de *pizza*. Prepárale un menú con los platos que debería comer la semana que viene.**

Lunes

....

....

Martes

....

....

Miércoles

....

....

Jueves

....

....

Viernes

....

....

Sábado

....

....

Domingo

....

....

Expresión e interacción orales

2.27. **Imagina que estás en las siguientes situaciones. Pide consejo a tus compañeros.**

a Últimamente duermes poco, solo dos o tres horas.

b No sabes cómo mandar un sms desde tu móvil nuevo.

c Necesitas ir a la secretaría de tu instituto y no sabes dónde está. Tu compañero/a sí lo sabe.

d Quieres irte de viaje el fin de semana, pero el lunes tienes un examen y no sabes qué hacer.

Expresar el momento en el que ocurre una acción

3.1. **Completa las frases con el verbo adecuado para que tengan sentido.**

a Cuando me case, ... tres hijos.
b En cuanto me casé, ... mi primer hijo.
c Cuando .... a casa, lo primero que hago es quitarme los zapatos.
d Cuando .... en Canarias, solía hacer *surf* después del colegio.
e Al volver a casa me .... de que me había dejado la puerta abierta.
f No te olvides de coger la llaves antes de .... de casa.
g Antes de que .... quiero hablar contigo.
h Cuando .... de Londres, seguí con la costumbre de tomar té a las cinco.
i Cuando .... de Londres, te contaré todo lo que estoy haciendo aquí.
j En cuanto .... a María, supe que era tu hermana, sois iguales.
k En cuanto .... a María, dile que la está esperando Antonio, es urgente.
l Cuando .... con mis amigos, solemos ir al parque.

3.2. **Clasifica las frases del ejercicio anterior.**

Acciones referentes al pasado	Acciones habituales	Acciones referentes al futuro

Expresar finalidad

3.3. **Este verano María se va a Guatemala para ayudar a construir un colegio y está preparando su viaje. Para ayudarla a recordar todo lo que necesita, completa con *para, para que* o un verbo en la forma correcta.**

a Cambiar algo de dinero ....para......... pagar cuando esté allí.
b Gafas de sol, sombrero y crema .... el sol no me queme la piel.
c Un impermeable para cuando ....
d Unas botas de montaña para ....
e Nuestros bañadores para cuando .... a la playa.
f Lápices y libros .... regalárselos a los niños de allí.
g La cámara de fotos y un *pendrive* .... guadar las fotos que hagamos.
h Un repelente de insectos .... no me piquen los mosquitos.
i Darles la dirección exacta del alojamiento a mis padres para que .... dónde estoy.
j Un móvil para que mis padres me ....

3.4. **Forma cinco frases con sentido.**

1 Están construyendo un nuevo orfanato en Lima...
2 El ayuntamiento va a abrir una nueva oficina...
3 Tenemos que reducir el consumo de CO_2...
4 Yo creo que hay que hacer más campañas de sensibilización...
5 Los países más ricos deben ayudar económicamente a los países pobres...

- para que
- para

- a la gente se conciencie de lo importante que es reciclar.
- b frenar el cambio climático.
- c terminar con la pobreza.
- d los niños sin familia puedan vivir allí y recibir una buena educación.
- e asesorar a los inmigrantes.

Expresar deseos y expresiones sociales

3.5. **¿Qué dirías en estas situaciones? Usa las formas de expresar deseos y las expresiones sociales aprendidas en esta unidad.**

a ....
b ....
c ....
d ....
e ....

3.6. **Lee este correo electrónico y completa el siguiente usando, como mínimo, cinco expresiones sociales y de deseo.**

Mensaje nuevo

De: Ana Para: Nuria

Hola Nuria:

Hoy he tenido un día muy raro. He recibido la mejor y la peor noticia de mi vida. La buena es que me han dado la beca para ir a estudiar a Nueva York. Pero la mala, ha sido terrible. Mis perros, Chucho y Coco, se han escapado esta mañana de casa y los hemos encontrado esta tarde en medio de la calle. Parece ser que alguien los ha atropellado. Chucho ha muerto y Coco está muy herido.

Estoy muy triste. Encima mañana tengo un examen y estoy muy nerviosa. Creo que me voy a acostar ya y mañana me levantaré temprano para estudiar.

Nos vemos mañana.

Un beso,

Ana

>>>

Mensaje nuevo

De: Nuria Para: Ana

Hola Ana:

a .... la muerte de Chucho y **b** .... Coco **c** .... muy pronto. Ahora debes concentrarte en tus exámenes, que **d** .... muy bien.

¡Ah! ¡**e** .... por la beca! Espero que **f** .... en Nueva York. ¿Cuándo te vas? Bueno, yo también me voy a dormir. **g** ....

¡Hasta mañana!

Nuria

3.7. **Continúa la frase con un deseo, como en el ejemplo.**

- a Mañana es el examen de Química. *Espero que no sea muy difícil.*
- b El año pasado hizo mucho calor en verano. ....
- c Estas navidades vamos a ir a esquiar. ....
- d ¡He perdido el autobús y es supertarde! ....
- e Yo creo que te equivocas, pero ojalá ....
- f Si no puedes venir hoy, no pasa nada. ....
- g Si vuelvo a llegar tarde a casa, seguro que mi madre se pondrá furiosa. Espero ....
- h La función empieza a las ocho. .... porque si no, no te van a dejar entrar.
- i Mañana vamos a ir a la playa. ....
- j No sé si voy a poder terminar el trabajo de Literatura para mañana. ....
- k Mi hermana se casa el mes que viene. ....
- l Mi abuelo tiene gripe. ....

3.8. **Imagina que estás chateando con tu amigo/a. Completa la conversación, utilizando algunas de las expresiones aprendidas.**

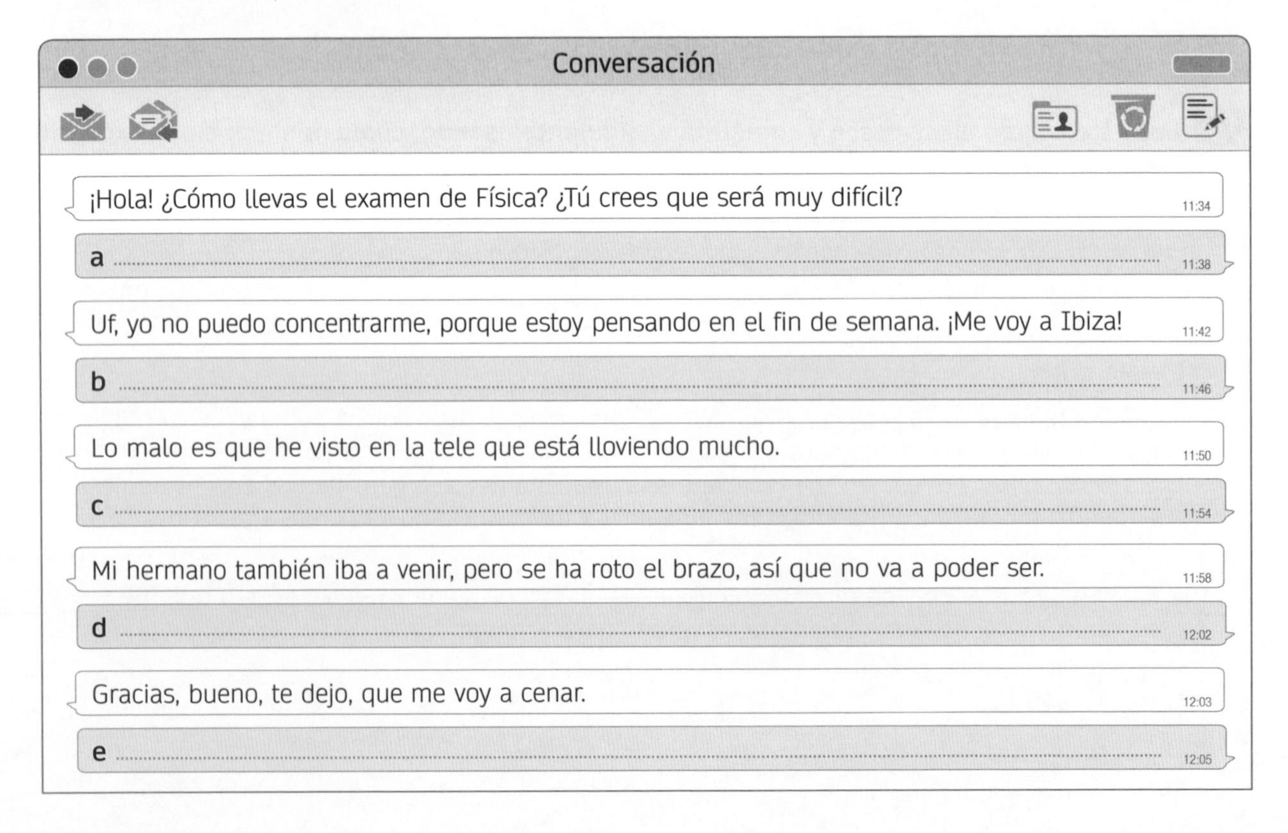

Las ONG y el voluntariado

3.9. **Construye diez frases posibles eligiendo una palabra de cada columna.**

1 Defender •	• a •	• a el medioambiente.
2 Proteger •	• de •	• b los derechos humanos.
3 Ayudar •	• en •	• c la explotación infantil.
4 Colaborar •	• con •	• d dinero a causas benéficas.
5 Destinar •	• contra •	• e los más desfavorecidos.
6 Luchar •	• Ø •	• f tiempo a los más necesitados.
		• g las injusticias.
		• h el comercio responsable.
		• i el maltrato animal.

1 ....
2 ....
3 ....
4 ....
5 ....
6 ....
7 ....
8 ....
9 ....
10 ....

3.10. **Completa las definiciones y encontrarás el nombre de una de las ONG más antiguas del mundo.**

1 Por desgracia, en el mundo hay muchos .... bélicos.
2 Un .... es una persona que viene de otro país.
3 Las ONG realizan grandes labores ....
4 La palabra .... corresponde a la primera palabra de la sigla ONG.
5 Tenemos que conseguir dinero, tenemos que .... fondos.
6 "Dar la ...." es dar un dinero a alguien que lo necesita.
7 El .... es sinónimo de "la labor".
8 Los terremotos, las inundaciones, la sequía son .... naturales.

1 C
2
3 M
4
5
6 D
7
8 T

3.11. **Completa el texto con las palabras del recuadro.**

representante ▪ iniciativa ▪ solidaria ▪ proyecto ▪ benéfica ▪ fondos ▪ beneficios ▪ donativo

21 de febrero

El lunes 20 en el Hard Rock Café de Barcelona se presentó la Rock&Race, una gira musical **a** .... cuyo objetivo es recaudar **b** .... para los comedores escolares de Global Humanitaria en Perú.

La **c** .... está patrocinada por *Rockstar Energy Drinky,* cuenta con la participación del piloto de Moto GP Jorge Lorenzo y el grupo de *rock* Luzzers. Los Luzzers estarán presentes en cada uno de los conciertos de esta gira musical **d** ...., que tiene su punto de partida el próximo 9 de marzo en la sala Moby Dick de Madrid.

El periodista del mundo del motor Álvaro Ademá fue el encargado de abrir el acto de presentación de la iniciativa Rock&Race. Por su parte, Leticia Jaramillo, como **e** .... de la ONG Global Humanitaria, habló del **f** .... de los comedores de Perú, donde se destinarán los **g** .... de la Rock&Race. Asimismo, Jorge Lorenzo firmó un casco que se sorteará *online* a cambio de un **h** .... de 1€. La rueda de prensa se cerró con la presentación del tema oficial de la Rock&Race, *Podemos hacerlo mejor*, compuesta por Luzzers.

(Extraído de www.globalhumanitaria.es)

3.12. **Aquí tienes parte de una entrevista a Pilar Orenes, directora de la sede de Madrid de la ONG Intermon Oxfam. Léela y responde a las preguntas.**

◗ Consumo responsable, economía sostenible, comercio justo... son expresiones cada vez más oídas. ¿Estamos ante un movimiento global que cuestiona el consumo irreflexivo y desmedido?

◗ De alguna manera, los objetivos del mundo están en un punto muy diferente al que tenemos organizaciones como nosotros. Es decir, el objetivo del comercio internacional es, en vez del intercambio equitativo, que contribuye a la erradicación de la pobreza, el beneficio de los países más ricos.

◗ Parece que el consumo es como un signo visible del éxito social. ¿Hay alguna manera de desactivar este mecanismo, de reducir, al menos, su impacto?

◗ Para nosotros el consumo responsable tiene que partir de una cosa muy clara. Primero, de saber qué hay detrás de la etiqueta del producto (dónde se ha hecho y en qué condiciones), pero también de un criterio de austeridad. No puedes seguir consumiendo lo mismo aunque todo sea responsable. Se trata de reflexionar sobre qué es lo que necesito y lo que me sirve realmente. Entendiendo la utilidad en el amplio sentido de la palabra, un regalo también puede ser necesario o puede tener todo el sentido del mundo. La pauta es saber y ser consciente de lo que es necesario en tu vida y sobre eso trabajar.

1 "Equitativo" significa...
- **a** igualitario.
- **b** injusto.
- **c** desinteresado.

2 "Erradicar" significa...
- **a** reducir.
- **b** eliminar.
- **c** aumentar.

3 "Saber qué hay detrás de la etiqueta del producto" significa...
- **a** saber de qué está hecho el producto.
- **b** saber en qué condiciones laborales han trabajado para producir ese producto y de qué país procede.
- **c** saber cuánto cuesta fabricar el producto.

4 "Consumir con austeridad" significa...
- **a** comprar muy barato.
- **b** comprar solo productos de comercio justo.
- **c** comprar las cosas que realmente necesitamos y vamos a usar.

3.13. **A continuación, Pilar nos da una pequeña lista de cosas concretas que podemos hacer para que el mundo sea más justo, aunque hay algunas que creemos que no deben ser de ella. ¿Tú cuáles crees que son?**

a Consultar la guía de Greenpeace de buenas costumbres, que te da esas recomendaciones y trucos que te garantizan que estás poniendo tu aportación personal para que el consumo de energía, de agua y otras tantas cosas de nuestro día a día sea más equilibrado.

b El reciclaje puede ser otra cosa importante.

c Consumir productos de comercio justo. Cada vez más, la variedad y la calidad de estos productos hacen que sean de verdad alternativas.

d Cuando vayamos al supermercado tenemos que fijarnos bien en los precios y comprar lo más barato. El comercio justo es pagar el precio más bajo por los productos.

e Participar en actividades de voluntariado. Uno de los bienes más preciados es nuestro tiempo y dedicar parte de él a crear otra manera de pensar y de sentir es también importante y, además, gratificante.

f Tirar la basura al mar para que los peces puedan alimentarse.

g Ser socio de una organización. Las organizaciones quieren ser independientes de las administraciones públicas y necesitan mantenerse. ¿Por qué no contribuir con nuestras pequeñas cuotas periódicas a cualquiera de ellas?

h Cuestionar dónde invierto el dinero y qué se está haciendo con él. Buscar información sobre qué organizaciones me ofrecen una garantía de que mi dinero se está invirtiendo en temas sociales y ecológicos y no en otra cosa.

i No hacer compras innecesarias como pueden ser los regalos.

3.14. **¿Qué cosas haces tú y cuáles podrías hacer para mejorar el mundo? Escribe un texto de 100 palabras.**

....
....
....
....
....
....
....
....
....
....
....

3.15. **Aquí tienes algunos sinónimos de las palabras que has aprendido en esta unidad. Relaciona cada palabra con su sinónimo.**

1 cooperar •	• a destinar
2 iniciativa •	• b asesorar
3 dedicar •	• c colaborar
4 desastre •	• d catástrofe
5 tercer mundo •	• e países subdesarrollados
6 aconsejar •	• f proyecto

3.16. **Cambia las expresiones en negrita por otras que has aprendido en esta unidad.**

a Creo que todos deberíamos concienciarnos y **hacer algo** para proteger el medioambiente. ....

b Los gobiernos se han comprometido a trabajar **conjuntamente** con las ONG para ayudar a los países del tercer mundo. ....

c La familia Herrera tiene graves problemas económicos, pero estoy seguro de que **conseguirán superar esta situación**. ....

d Todas las organizaciones **que destinen todos sus beneficios a labores sociales** recibirán subvenciones por parte de los ayuntamientos para realizar sus actividades. ....

e Anabel va todos los martes y jueves como voluntaria a una escuela infantil con niños discapacitados. Dice que es un trabajo duro, pero que sin duda es el trabajo más **gratificante** que ha tenido nunca. Está realmente muy feliz. ....

f En algunos países cuando usas los baños públicos hay que **dar algo de dinero**, lo que cada uno quiera. ....

Presente de subjuntivo

3.17. **Completa las frases con los verbos entre paréntesis.**

a Cuando .... (ser) mayor, me iré a vivir a Australia.

b Avísame en cuanto .... (saber, tú) a qué hora llega tu avión.

c Cuando .... (tener) tiempo, llámame y hablamos.

d Ojalá me .... (dar) la beca para ir a estudiar a Londres.

e Espero que no nos .... (poner, los profesores) muchos deberes para casa.

f Espero que Antonio no le .... (decir) nada a Carmen.

g Ojalá mañana .... (hacer) buen tiempo.

h Esta tarde voy a preparar una merienda en casa para que .... (conocer, vosotros) a mi prima Anabel.

i ¡Que .... (dormir) bien y .... (soñar) con los angelitos!

j ¿Te apetece que .... (ir, nosotros) al cine esta tarde?

k Ya sabes que puedes venir cuando .... (querer).

3.18. **Busca 10 verbos en presente de subjuntivo.**

V	E	N	C	U	E	N	T	R	E	S	N
E	V	F	A	I	P	D	D	U	F	G	A
N	I	C	A	D	E	U	O	N	Y	I	N
G	O	U	D	D	U	R	M	A	L	S	O
A	C	A	D	H	I	M	R	L	A	A	E
S	A	D	I	A	S	A	A	E	C	X	B
O	F	I	G	J	A	M	S	U	S	M	E
T	N	B	A	T	L	O	Y	T	P	O	U
S	D	A	I	A	C	S	U	G	L	P	R
L	O	P	S	R	A	L	N	M	A	I	P
U	E	U	A	F	S	J	P	O	N	G	A
R	U	O	P	I	D	A	M	O	S	O	E

3.19. **Completa las frases con los verbos anteriores. Fíjate en que hay dos verbos que no son subjuntivo, aunque la forma es igual. Marca qué verbos son y di cuál es su tiempo verbal.**

a ¿Otra vez has perdido las gafas! Pues espero que las .... rápido, porque en 10 minutos empezamos el examen y, si no, no vas a ver nada.

b Espera un momento, no .... impaciente.

c Cuando .... a mi casa te enseñaré mi colección de insectos.

d Por favor, no .... la ventana, me estoy muriendo de calor.

e ¿Quieres que .... la música un poco mas baja? Es que si estás estudiando a lo mejor te molesta, ¿no?

f ¡Ojalá .... el examen de mates!

g No quiero que me .... nada. Estoy muy enfadada con vosotros.

h Creo que esta película va a ser un rollo. Espero que no nos ....

i Qué pesado es Pedro, siempre cuenta las mismas cosas, espero que hoy no nos .... la misma historia de cuando estuvo en Japón, ¡¡porque no lo soporto!!

j ¿Quieres que .... ya la cuenta?

La ..... y la ..... son las dos frases que no van en presente de subjuntivo, sino en ....

3.20. **Clasifica los siguientes verbos según su irregularidad en presente de subjuntivo.**

gobernar ▪ dormir ▪ morir ▪ soltar ▪ pensar ▪ volver ▪ empezar ▪ repetir ▪ pedir ▪ encontrar
volar ▪ demostrar ▪ seguir

E > IE excepto *nosotros* y *vosotros*	**E > I**	**O > UE excepto *nosotros* y *vosotros***	**O > UE excepto *nosotros* y *vosotros* (O > U)**

3.21. **Un círculo vicioso es realizar una pregunta que tiene una respuesta que genera otra pregunta. Mira el ejemplo y termínalo. Después, crea tu propio círculo vicioso con las palabras que te proponemos.**

a Empezar a proteger el medioambiente ▶ Haber muchas catástrofes naturales y la gente no tener comida. ▶ Aumentar el cambio climático. ▶ La gente debería empezar a proteger más el medioambiente. ▶ La gente no hacer nada por remediarlo. ▶ Darse cuenta de lo importante que es.

¿Cuando empezará la gente a proteger más el medioambiente? ▶ *Cuando se dé cuenta de lo importante que es.* ▶ *¿Y cuándo se dará cuenta?* ▶ *Cuando haya muchas catástrofes naturales y la gente no tenga comida.* ▶ *¿Y cuándo habrá muchas catástrofes naturales?* ....
....
....
....

b No haber hambre en el mundo. ▶ Todos ser más solidarios. ▶ Los países ricos ayudar a los pobres. ▶ Desaparecer la pobreza. ▶ El hambre en el mundo tiene que desaparecer. ▶ No haber desigualdades sociales.

El hambre en el mundo tiene que desaparecer. ▶ ....
....
....
....

3.22. **Escribe el tiempo correcto.**

a Espero que no .... (dormirse, nosotros) con la película. Dicen que es un rollo.
b ¡Ojalá .... (aprobar, yo) todos los exámenes!
c He venido para que me .... (contar, tú) lo que pasó ayer.
d Deseo que Pablo y tú .... (ser) muy felices y .... (tener) muchos hijos.
e ¿Quieres que .... (empezar, nosotros) ya a cenar o prefieres esperar?
f Vuestro padre no quiere que .... (ver, vosotros) el regalo que os ha comprado.
g Este bolígrafo no sirve para .... (corregir), necesitas otro de diferente color.
h No te levantes hasta que yo te lo .... (decir).
i En cuanto .... (traer, ellos) mi equipaje, me iré de este hotel.

PRONUNCIACIÓN Y ORTOGRAFÍA

Diptongos, triptongos e hiatos

3.23. **Aquí tienes otro texto de la página web de Global Humanitaria. Busca todos los diptongos e hiatos que aparecen en este y acentúalos cuando sea necesario.**

Apadrina ahora

El apadrinamiento es una forma de colaboracion que vincula a los padrinos con niños de paises donde Global Humanitaria lleva a cabo su trabajo. Nos permite realizar proyectos de desarrollo que benefician a la poblacion infantil, muy vulnerable, pero tambien a toda la comunidad en la que viven. Las cuotas de apadrinamiento financian, por ejemplo, la construccion de escuelas y el mantenimiento de comedores escolares, la formacion de adultos, los hogares de acogida para niños de la calle y las iniciativas comunales. La cuota mensual es de 21 euros. Como padrino vas a recibir en tu domicilio una fotografia del niño o la niña apadrinados y una ficha con sus datos personales. A partir de ese momento, puedes establecer correspondencia con ellos.

Gracias por tu colaboracion.

Diptongos	Hiatos

3.24. **Separa en sílabas y acentúa las siguientes palabras cuando sea necesario, como en el ejemplo.**

frio ....fri-o....	tengais	buey	guardar ....
paisaje	bailando	libreria	guia ....
Uruguay	magia	heroe	huerfano ....
reunion	estariais	cuenta	deciais ....
penseis	fruteria	triunfar	paises ....
ambiguo	Sebastian	pueblo	ahora ....

3.25. **Fíjate en la vocal tónica (fuerte) que aparece subrayada y coloca la tilde donde corresponda. Señala después los diptongos, triptongos o hiatos que encuentres.**

boina	Eugenio	estadounidense	vieira ....
anciano	buho	aullar	copia ....
situais	acentua	orquidea	coreografo ....
barbacoa	cambiais	actuo	adios ....
violencia	buitre	diurno	buey ....

Las ONG

3.26. **Vas a fundar una ONG. Escribe un texto presentando tu proyecto. Estas preguntas te servirán de guía para tu composición.**

- ¿Cómo se llama vuestra ONG y cuál es vuestra ideología?
- ¿Cuáles son vuestros objetivos y vuestros deseos?
- ¿En qué consiste vuestro proyecto y a quién va dirigido?
- ¿Cómo vais a recaudar los fondos necesarios?
- ¿Cuántos voluntarios vais a necesitar?
- ¿Qué perfil debe tener el voluntario? (conocimientos, habilidades, edad...).
- ¿Por qué vuestro proyecto es el mejor?

3.27. **Lee el texto y responde a las preguntas.**

Voluntariado juvenil por un mundo mejor

El 17 de diciembre de 1999, la Asamblea General de las Naciones Unidas declaró el 12 de agosto Día Internacional de la Juventud. Desde entonces, el programa de Voluntariado de las Naciones Unidas (VNU) celebra ese día con diferentes eventos. En 2102, el tema fue "Construyendo un mundo mejor: asociándonos con los jóvenes", y con él se quiso subrayar el importante papel de los jóvenes que participan en proyectos y actividades de paz y desarrollo.

Chat en Facebook con una voluntaria de las Naciones Unidas

El 27 de mayo de 2013, dos días antes del Día Internacional del personal de Paz de las Naciones Unidas, el VNU organizó un chat en directo en Facebook con Isabelle Blanc, una de los 3000 voluntarios de las Naciones Unidas.

Isabelle ha sido voluntaria desde muy joven: primero con los Scouts laicos en Francia y en el extranjero, después con la ONG francesa Secours Populaire y, más tarde, con la Cruz Roja Americana en Tanzania. En 2008 comenzó como voluntaria de las Naciones Unidas en la República Centroafricana y el Chad. Posteriormente, se convirtió en la coordinadora del programa VNU y, poco después, pasó a ser Oficial de Proyectos y Promoción VNU para el programa VNU en Haití.

facebook Los participantes en el chat le hicieron a Isabelle varias preguntas, en español, francés e inglés, relacionadas con las tareas que realizan los voluntarios de las Naciones Unidas en las misiones de paz, o como su experiencia como voluntaria con los Scouts le ayudó a prepararse para su trabajo en Haití. Otros participantes expresaron su gratitud y apoyo por el trabajo que realiza el personal de paz de las Naciones Unidas con mensajes como este: *"Quiero dar las gracias a los voluntarios de todo el mundo por los sacrificios que realizan desinteresadamente para llevar la paz y la estabilidad a los países destruidos por la guerra".*

(http://www.unv.org/es/que-hacemos/paises/haiti/doc/chat-en-facebook-con-1.html)

>>>

a ¿Qué significan las siglas VNU? ....

b ¿A qué gran organización internacional pertenece la voluntaria? ....

c ¿Qué se celebra el 12 de agosto? ....

d ¿Cómo lo celebra el VNU? ....

e ¿Qué organizó el VNU en mayo de 2013 para promocionar sus voluntariados? ....

....

f ¿En qué países y organizaciones ha trabajado Isabelle como voluntaria? ....

....

g ¿Qué tipo de misiones o proyectos de voluntarios ha desarrollado Isabelle? ....

....

h ¿Qué se celebra el 29 de mayo? ....

EVALUACIÓN

Comprensión de lectura

3.28. Lee y ordena los fragmentos del texto.

Guía de la buena madera de Greenpeace

a ☐ La madera es un buen material. Es un recurso natural, procede de los árboles, y puede ser reutilizada y reciclada. Su producción y eliminación no contamina. Las características físicas y mecánicas

b ☐ de un bosque bien gestionado y lleva un certificado como el FSC, la madera es sin duda el material más ecológico frente a otros que consumen mucha energía y son contaminantes, como el cemento,

c ☐ responsables de compras o consumidores pueden estar convencidos de que están haciendo un gran favor al planeta.

d ☐ el aluminio o el PVC. Siguiendo las instrucciones de esta guía y eligiendo una buena madera, empresas de construcción, arquitectos, decoradores, interioristas,

e ☐ de la madera la convierten en el mejor material para una gran cantidad de usos como construcción, carpintería, fabricación de muebles, etc. Y, muy importante, cuando la madera procede

(Adaptado de http://archivo-es.greenpeace.org/espana/es/news/2010/November/la-gu-a-de-la-buena-madera-d/)

Comprensión auditiva

3 **3.29. Escucha la información sobre Global Humanitaria y señala si las afirmaciones son verdaderas (V) o falsas (F).**

a Ⓥ Ⓕ Global Humanitaria es una ONG que controla las adopciones internacionales.

b Ⓥ Ⓕ Apadrinar a un niño significa ayudar a los niños y también a su sociedad.

c Ⓥ Ⓕ Los padrinos tienen que gastar mucho dinero para colaborar.

d Ⓥ Ⓕ Los padrinos pagan una pequeña cantidad cada mes.

e Ⓥ Ⓕ Los padrinos no pueden conocer a los niños que apadrinan.

f Ⓥ Ⓕ Los padrinos pueden comunicarse con los niños apadrinados.

Expresión e interacción escritas

3.30. **Imagina que estás chateando con un/a amigo/a. Completa la conversación con las respuestas adecuadas que expresen deseos.**

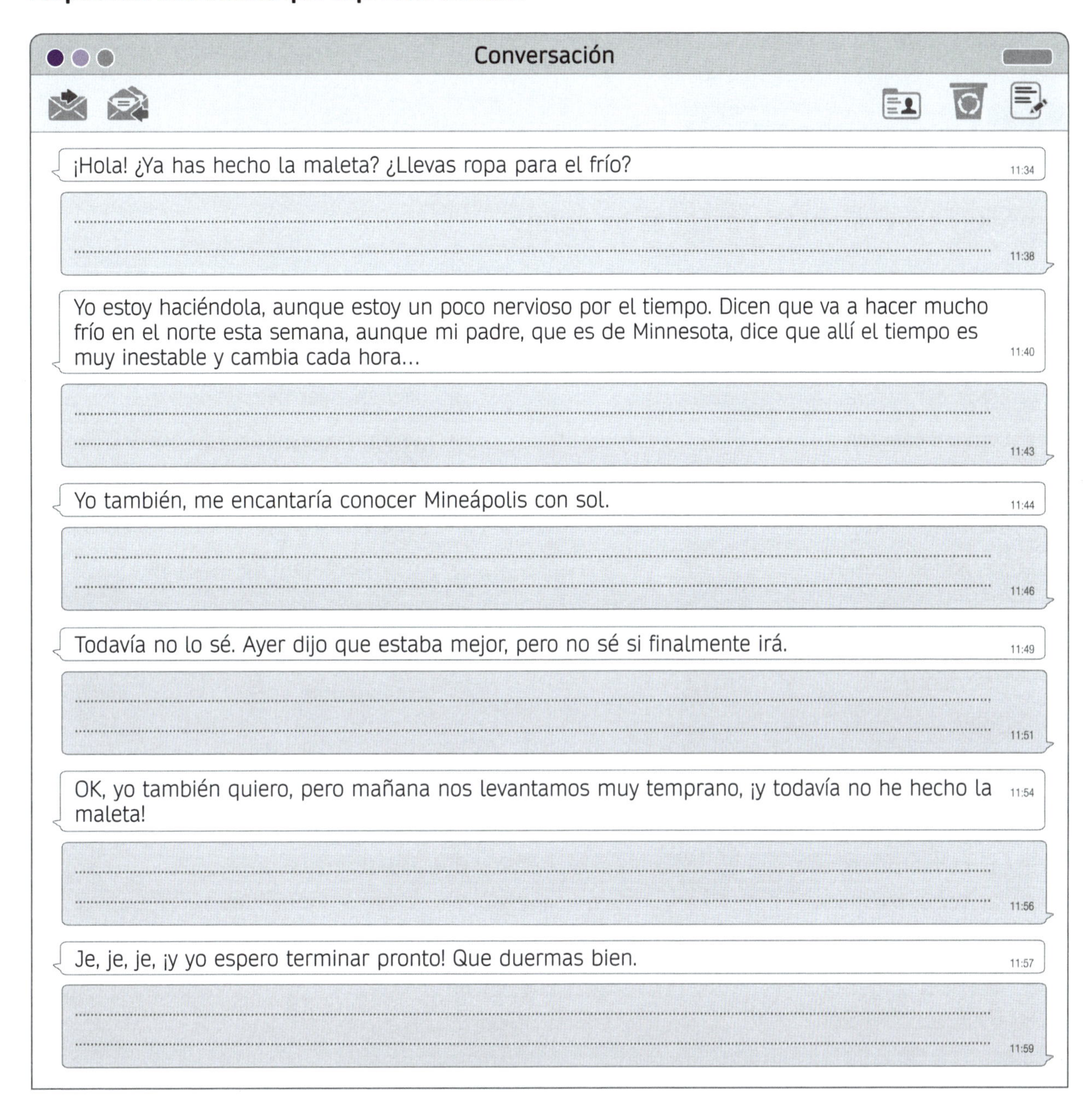

Expresión e interacción orales

3.31. **Hazle las siguientes preguntas a tu compañero/a y tú responde a las suyas.**

ESTUDIANTE 1

- **a** ¿Qué crees que harás cuando termines la universidad?
- **b** ¿Qué asignaturas esperas aprobar este año?
- **c** ¿Cómo quieres que sea la excursión de este año?
- **d** ¿Qué esperas que te regalen por tu próximo cumpleaños?

ESTUDIANTE 2

- **a** ¿Cómo esperas que sea el próximo curso?
- **b** ¿Qué deseas que pase el próximo verano?
- **c** ¿Dónde esperas que se celebren los próximos Juegos Olímpicos?
- **d** ¿Qué actor o actriz quieres que gane un Óscar?

Expresar sentimientos y estados de ánimo

4.1. Escribe nueve frases con sentido.

Estoy contento/a...	si	me cogen las cosas sin permiso.
Estoy nervioso/a...	con	vienes a verme.
Estoy encantado/a...	Ø	tener que esperar a la gente que llega tarde.
Estoy cansado/a...	cuando	tengo que hacer un examen.
Me pongo alegre...	que	que veamos siempre las mismas películas.
Me pongo de muy mal humor...	de	mi nuevo libro de español.
Me siento bien...		hago ejercicio.
No soporto...		poder estar aquí con vosotros.
Odio...		me cuenten el final de una película.

4.2. Relaciona las siguientes expresiones con su imagen correspondiente.

1 La hierba mojada. ....
2 Ver el telediario. ....
3 Practicar deportes de riesgo. ....
4 Coger el metro en hora punta. ....
5 Ver una puesta de sol. ....
6 Olvidarme de algo. ....
7 Compartir momentos con los seres queridos. ....
8 Los bebés. ....
9 Tocar una serpiente. ....

a 
b 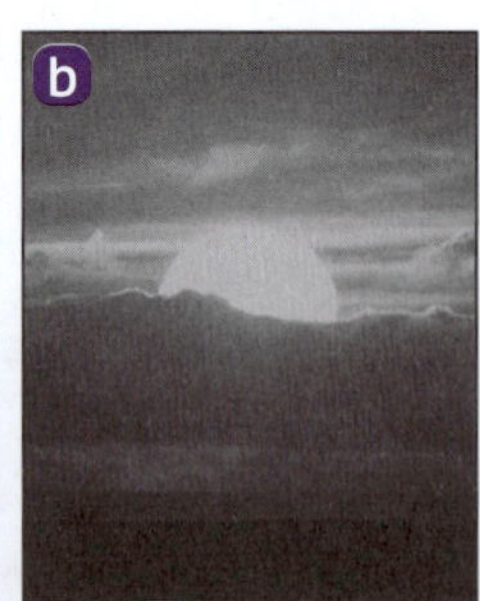
c 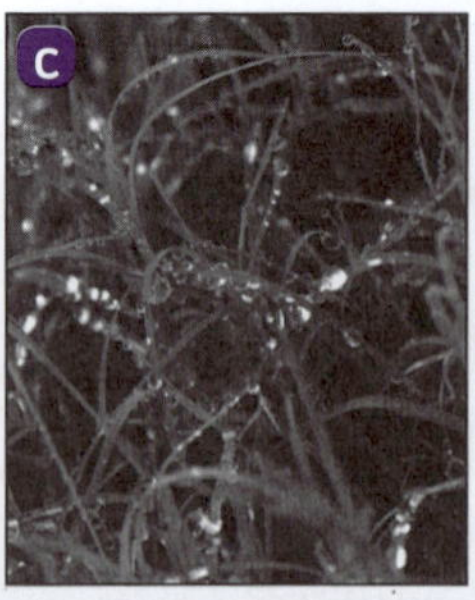
d 
e 
f 
g 
h 
i 

4.3. **Escribe frases expresando qué estados de ánimo o emociones te producen las situaciones de la actividad anterior.**

a ....
b ....
c ....
d ....
e ....
f ....
g ....
h ....
i ....

4.4. a **Lee lo que dicen algunos padres sobre sus hijos jóvenes y transforma las frases.**

1 Yo me pongo muy nervioso si mi hijo sale con los amigos y veo que se retrasa.
A mi padre le pone nervioso... ....
2 Yo me pongo histérica cuando lo deja todo tirado por la habitación.
A mi madre... ....
3 Yo me pongo de mal humor cuando me dice que está estudiando y lo pillo chateando.
A mi padre... ....
4 Me siento un poco triste cuando veo que se hace mayor y que no me necesita tanto.
A mi padre le da pena... ....
5 Pero también me siento feliz de ver que es una persona cada vez más independiente.
A mi padre... ....
6 Yo me impresiono de ver cómo se manejan con las nuevas tecnologías.
A mi madre... ....

b **Ahora lee lo que piensan algunos jóvenes sobre sus padres y completa los espacios con el verbo en la forma adecuada.**

1 A mí me .... (aburrir) .... (tener) que estar siempre diciéndole a mi padre dónde estoy y con quién.
2 A mí me .... (dar) rabia que mi madre .... (estar) siempre diciéndome que arregle la habitación cuando ya está arreglada.
3 Me .... (molestar) que mi padre .... (pensar) que no estoy estudiando porque también estoy conectado al chat, ¡si puedo hacer todo a la vez!
4 A mí me .... (dar) vergüenza que mi madre me .... (seguir) tratando como a un niño delante de mis amigos.
5 Me .... (dar) mucha alegría .... (ver) que mis padres están orgullosos de mí.
6 Me .... (poner) de los nervios las miraditas de mi madre cada vez que una chica me llama por teléfono.
7 Me .... (poner) de mal humor si mi madre .... (decidir) arreglarme la habitación porque después no encuentro nada.
8 Me .... (dar) igual los consejos de mi madre sobre cómo debería vestirme. Tenemos gustos tan diferentes...

4.5. Completa las siguientes frases.

a Me dan rabia ....

b Me da vergüenza que ....

c .... si llego al cine y veo que la película ya ha comenzado.

d .... ver que en algunos países los niños no pueden ir al colegio porque tienen que trabajar.

e .... los insectos, sobre todo las arañas.

f .... las películas históricas, no sé cómo hay gente que las puede ver sin quedarse dormido.

g Me indigno cuando ....

h Me indignan ....

i .... tener que ir de pie en el transporte público.

j Me impresiona ....

4.6. Fíjate en la actividad anterior y completa la norma.

a Si digo *"Me pongo nervioso cuando tengo que exponer un tema delante de la clase"*, el sujeto del verbo *poner* es .... Pero si digo *"Me pone nervioso exponer un tema delante de la clase"*, el sujeto es ....

b Si digo *"Odio madrugar"*, el verbo *madrugar* aparece en infinitivo porque .... Pero si digo *"Odio que me despierten temprano"*, el verbo *despierten* aparece en subjuntivo porque ....

c Si digo *"A mi hermano y a mí nos dan miedo las arañas"*, el verbo *dar* va en plural porque ....; pero si digo *"A mí me da miedo esa película"*, el verbo va en singular porque ....

4.7. Antonio, Roberto, Álex y Juan son cuatro compañeros de instituto que van a ir de viaje y tendrán que compartir habitación. Lee cómo es cada uno, completa los espacios en blanco con el verbo en la forma correspondiente y luego responde a las preguntas.

Antonio es muy limpio, no **a** .... (soportar) el desorden y le **b** .... (dar) mucha rabia **c** .... (recoger) las cosas de los demás. Duerme muy profundamente y por eso le **d** .... (dar) igual los ruidos; no lo despertaría ni una bomba.

¡Ah! También es muy presumido, así que no te **e** .... (poner) nervioso si **f** .... (tardar) más de dos horas en salir del baño...

Juan tiene problemas para dormir, por eso le **g** .... (molestar) mucho los ruidos. Adora **h** .... (cocinar), así que siempre se levanta temprano y prepara muy buenos desayunos. También es muy ordenado y limpio. Por las noches le **i** .... (dar) miedo que la gente **j** .... (dormirse) antes que él, por eso se siente mejor si alguien le **k** .... (hablar) hasta que le entra el sueño.

Roberto es tranquilo, cuando está en casa casi ni se le oye, pero sí se le nota, porque va dejando rastro por donde pasa. Le **l** .... (dar) lo mismo que todo **m** .... (estar) desordenado, ese es su ambiente. Además, como es muy tranquilo, tarda muchísimo en ducharse y solo dos cosas le **n** .... (poner) de los nervios: que le **ñ** .... (meter) prisa y que **o** .... (tardar) más que él en el baño.

A **Álex** le encanta dormir ¡y roncar! Odia que lo **p** .... (despertar) por la mañana y le **q** .... (poner) enfermo los despertadores. Solo le **r** .... (poner) de buen humor un buen desayuno. Eso sí, una vez ya ha desayunado, tarda cinco minutos en ducharse, vestirse y salir de casa. Le **s** .... (dar) un poco de rabia **t** .... (limpiar), pero lo hace porque le **u** .... (dar) más rabia las cosas desordenadas.

a ¿Quién crees que será más compatible con quién? Escríbelo y justifica tu respuesta.

Yo creo que Antonio sería mejor compañero de... porque a los dos/los dos...

b Imagina que tienes que compartir piso o habitación con alguien por una temporada. Escribe un texto explicando cómo eres tú, cuáles son tus manías y costumbres y qué cosas te molestan o no te importan en una convivencia.

Adjetivos calificativos

4.8. **a Escribe las letras que faltan en los siguientes adjetivos de carácter.**

1 s.....n..........r.....	6 s..........ib..........	11 p.....nt.......... l
2 t...............q....................	7 c.....m...............ns...............	12 .....p..........m.....s..........
3 g...............r.....s.....	8 .....d.....c.....d.....	13 t....................j.....d..........
4 f..........x..........l.....	9 r.....sp....................b..........	14 s.....g...............
5 t...............r..........t.....	10 f..........rt.....	15 o.....c...............t.....

b Ahora completa el crucigrama con los contrarios de los adjetivos anteriores.

- **Verticales:** contrarios de 1, 2, 5, 6, 10, 12 y 15.
- **Horizontales:** contrarios de 3, 4, 7, 8, 9, 11, 13 y 14.

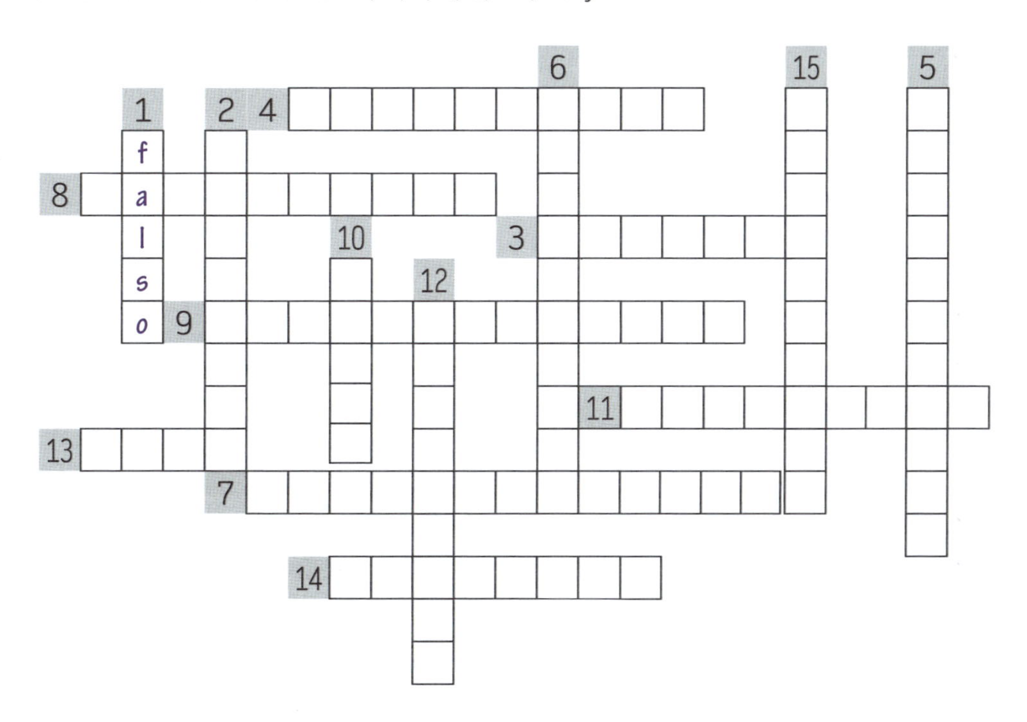

4.9. **Lee lo que opina una joven española y después contesta a las preguntas.**

Los jóvenes de hoy en día

Hoy en día, a los jóvenes se nos acusa de muchos aspectos en los que no solamente nosotros tomamos parte. Son muchas las veces en las que somos tratados como inmaduros e irresponsables, mientras nosotros nos consideramos más bien incomprendidos.

A cada uno le ha tocado vivir su juventud en una determinada sociedad y, por suerte o por desgracia, a los jóvenes de hoy en día nos ha tocado vivir en esta, donde las cosas cambian continuamente y todo se renueva antes de que te puedas dar cuenta. Las puertas se nos abren cada día a nuevos mundos donde nos tocará decidir qué papel queremos tomar en ese juego, y ahí es donde cada uno elegirá qué camino seguir.

Entre los jóvenes hay de todo y, como en todo lo demás, no se puede generalizar y hablar de "los jóvenes de hoy en día" como un todo. Hay que saber distinguir y diferenciar.

Nosotros también trabajamos y luchamos por nuestro futuro, no somos solamente una "cuadrilla de gamberros" que solo piensan en salir de fiesta y hacer "botellón" para manchar las calles. Seguro que habrá cosas que haremos mal, pero no es justo que seamos criticados solo por los aspectos de nuestras vidas que los "críticos" consideren.

Una buena opción sería tratar de ponernos en la situación del prójimo para entenderla mejor, tanto unos como otros, de tal forma que todos podríamos "juzgar" con más justicia.

(Lorena Pérez)

(Extraído de: http://jovenes_problemas_e_inquietudes.lacoctelera.net/post/2006/12/10/-los-jovenes-hoy-dia-)

a Según el texto, ¿crees que ser joven es más difícil ahora que antes o al contrario? Justifica tu respuesta.

....

....

....

....

b ¿Qué crees que significa la expresión "cuadrilla de gamberros"? ¿Y "hacer botellón"?

....

....

....

c ¿Cuál es la solución que propone la joven para que haya un mayor entendimiento entre personas de diferentes generaciones?

....

....

....

d ¿Estás de acuerdo con la opinión de la joven? ¿Por qué?

....

....

....

e Según tu opinión, ¿cómo crees que sois y os comportáis los jóvenes de tu generación?

....

....

....

....

Actividades artísticas

4.10. **Escribe la palabra correspondiente a cada definición.**

a	Establecimiento comercial donde se exponen y venden cuadros, esculturas y otros objetos de arte.	.... / ....
b	Persona que compone poemas.	....
c	Capturar imágenes con una cámara para después poder volver a verlas.	.... / ....
d	Persona que toca un instrumento de cuerda compuesto de una caja de resonancia en forma de ocho con cuerdas y que se hace sonar con un arco.	....
e	Grupo de músicos que interpretan obras musicales con diversos instrumentos.	....
f	Hacer la prueba de una actuación antes de representarla.	....
g	Hombre que se dedica profesionalmente a ejercitar el arte de bailar.	....
h	Pintura de una persona.	....
i	Mujer que se dedica a realizar esculturas.	....
j	Pintura o dibujo que representa cierta extensión de terreno.	....

4.11. **Escribe la profesión de los siguientes artistas españoles y qué frases corresponden a cada uno de ellos.**

1 Ángel Corella

....

....

2 Leticia Moreno

....

....

3 Antonio López

....

....

a En 2001 creó la fundación que lleva su nombre, con el propósito de fomentar el arte de la danza clásica y de facilitar la formación a quien no se lo puede permitir.

b Referente del realismo extremo, hunde sus raíces en la más pura tradición realista española.

c Recientemente declaró que lo fascinante de ser músico es que siempre hay cosas nuevas por descubrir.

d Ante la actual crisis de la enseñanza de las Bellas Artes, donde a la pintura abstracta o figurativa se le han sumado nuevos medios de contar las historias, dijo: “No hay que empeñarse en tener razón, sino dudar junto al que está contigo, más joven, y ver a dónde nos conduce todo esto”.

e Por su virtuosa forma de tocar es una de las personalidades más destacadas de su generación y ha recibido elogios de público, crítica y directores.

f Los protagonistas de sus obras son los objetos y los sucesos de la vida cotidiana.

g En una reciente entrevista declaró: “No eliges a la danza, ella te elige a ti”.

h Comenzó su formación en danza clásica a los diez años.

>>>

i Rostropovich fue uno de sus maestros.

j En 2007 se licenció con Matrícula de Honor en la Guildhall School of Music and Drama de Londres, recibiendo el grado más alto jamás logrado en la historia de la escuela por su recital de fin de carrera.

k Siendo aún muy joven actuó con las orquestas internacionales más destacadas y en las salas más prestigiosas del mundo.

l Actualmente está trabajando en un paisaje de Madrid.

m En mayo de 1991 ganó el primer premio en el Concurso de Ballet Nacional de España.

n Recibió en 1985 el Premio Príncipe de Asturias de las Artes y en 2006 el Premio Velázquez de Artes Plásticas.

ñ Ha trabajado en las mejores compañías de danza de todo el mundo.

o Toca un Nicola Gagliano de 1762.

p Ha ganado los primeros premios de concursos internacionales como el Henryk Szeryng, Concertino Praga, Novosibirsk, Sarasate y Kreisler.

q Su tío fue quien alentó su dedicación a la pintura.

Perífrasis verbales

4.12. **Alando, un joven de Malasia, ha ido a vivir a España durante un año. Lee el correo electrónico que le envía a su amigo y completa los espacios con la perífrasis adecuada, como en el ejemplo. Ten en cuenta que a veces hay más de una opción posible.**

empezar a ▪ ponerse a ▪ volver a ▪ seguir ▪ continuar ▪ acabar de ▪ dejar de

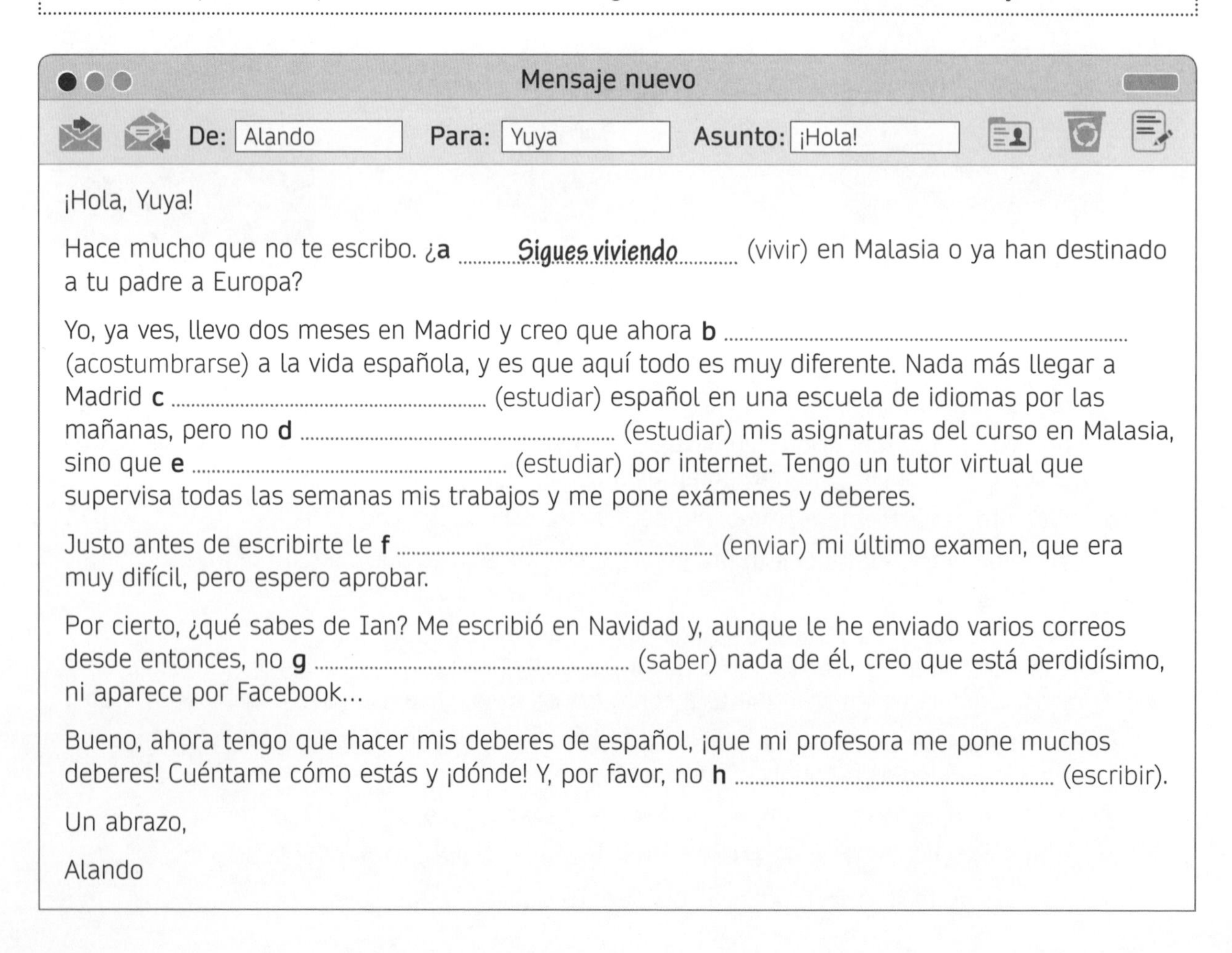
Mensaje nuevo

De: Alando Para: Yuya Asunto: ¡Hola!

¡Hola, Yuya!

Hace mucho que no te escribo. ¿**a** ....Sigues viviendo.......... (vivir) en Malasia o ya han destinado a tu padre a Europa?

Yo, ya ves, llevo dos meses en Madrid y creo que ahora **b** .... (acostumbrarse) a la vida española, y es que aquí todo es muy diferente. Nada más llegar a Madrid **c** .... (estudiar) español en una escuela de idiomas por las mañanas, pero no **d** .... (estudiar) mis asignaturas del curso en Malasia, sino que **e** .... (estudiar) por internet. Tengo un tutor virtual que supervisa todas las semanas mis trabajos y me pone exámenes y deberes.

Justo antes de escribirte le **f** .... (enviar) mi último examen, que era muy difícil, pero espero aprobar.

Por cierto, ¿qué sabes de Ian? Me escribió en Navidad y, aunque le he enviado varios correos desde entonces, no **g** .... (saber) nada de él, creo que está perdidísimo, ni aparece por Facebook...

Bueno, ahora tengo que hacer mis deberes de español, ¡que mi profesora me pone muchos deberes! Cuéntame cómo estás y ¡dónde! Y, por favor, no **h** .... (escribir).

Un abrazo,

Alando

4.13. **Completa la siguiente biografía usando para cada espacio en blanco un elemento de cada recuadro y conjugando los verbos cuando sea necesario.**

ponerse ~~(x2)~~ ▪ volver a (x2) ▪ empezar a hacerse ▪ acabar de (x2) ▪ quedarse (x2) seguir ▪ dejar de ▪ volverse ▪ ponerse a	embarazada ▪ ~~roja~~ ▪ separar ▪ más hogareña budista ▪ tan nerviosa ▪ llegar ▪ blanca ver ▪ tener ▪ viajar ▪ trabajar ▪ reír ▪ acercar

Lo conocí en una fiesta de disfraces, yo iba de fresa y él de plátano. Cuando alguien nos dijo que juntos hacíamos una buena... macedonia **a** ....me puse roja........... como un..., bueno, como una fresa, ¡qué vergüenza!

Después no nos **b** .... en toda la fiesta, supongo que para evitar otro comentario del estilo. No lo volví a ver. Ese mismo mes me fui a vivir a Nueva York y allí **c** .... como modelo y con lo que ganaba me pagaba mis clases de fotografía. A través de un compañero de la escuela, me surgió la posibilidad de viajar a la India para hacer un reportaje fotográfico sobre las mujeres en aquel país y aquel viaje cambió mi vida, tanto que cuando regresé a España decidí **d** .... **e** .... a Madrid cuando me llamaron de la revista internacional *Geology* para decirme que había sido seleccionada como finalista de su premio anual de fotografía. No me lo podía creer, **f** .... como el papel, de hecho mi pobre madre que estaba a mi lado pensó que había sucedido alguna desgracia. El día de la entrega de premios me vestí con un vestido rojo impresionante y, llegado el momento de las nominaciones, sentí que el corazón se me salía por la boca. Entonces apareció él de nuevo. **g** .... que ni oí mi nombre cuando él lo pronunció. Un compañero, que había venido conmigo a la gala, me tuvo que dar un codazo para hacerme reaccionar. Una vez en el escenario se me olvidó el discurso que tenía preparado y lo único que se me ocurrió fue bromear con él y decirle delante del público: vaya, esta vez has preferido no venir de plátano. Todo el mundo **h** ...., menos él, la verdad. Esa noche me pareció el hombre más atractivo del mundo. Nos sentaron juntos en la cena y a partir de entonces nos **i** ...., cada vez más, hasta que un día él me dijo que no se quería **j** .... de mí.

Ya llevamos cuatro años juntos. Al poco tiempo de casarnos yo **k** .... de Carlos, y ahora **l** .... a nuestra segunda hija, Eva.

m .... por todo el mundo. Lo echo de menos, aunque la verdad es que con el tiempo y los niños **n** .... y, sinceramente, lo que más me gusta es pasar el tiempo con mi familia.

Verbos de cambio

4.14. **Observa los dibujos y completa las expresiones con los verbos de cambio: *hacerse*, *ponerse*, *quedarse* y *volverse*.**

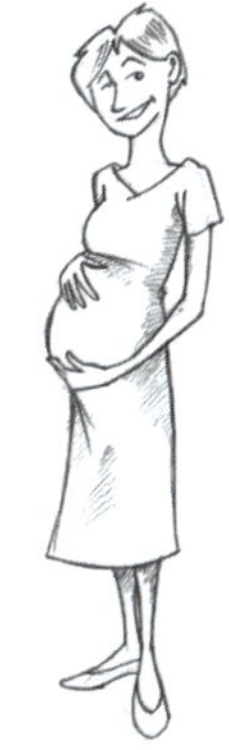

a .... roja **b** .... embarazada **c** .... más delgada

>>>

d .... monja e .... rico f .... gordo

g .... maestra h .... una antipática i .... calvo

4.15. **Relaciona los elementos de las dos columnas y completa los espacios con el verbo de cambio más adecuado combinado con alguna de las siguientes palabras.**

embarazada ▪ estúpida/o ▪ rojo/a ▪ nerviosa/o ▪ empresario/a ▪ vegetariana/o ▪ blanco/a

1 A María le gusta Pedro,...

2 Había estudiado mucho, pero cuando he visto el examen delante de mí,...

3 Cuando le hemos dicho que habíamos ganado el premio...

4 Mi madre...

5 No soporto a Laura,...

6 Desde que Sergio estuvo trabajando en el zoo...

7 Dice Susana que su tía...

- **a** empezó de dependienta en una tienda de ropa y aprendió tanto que al final .... y creó su propia marca de ropa.
- **b** .... así que ¡vamos a ser cuatro hermanos!
- **c** .... y no he podido contestar ni una pregunta.
- **d** desde que la han seleccionado para el papel principal en la obra ....
- **e** por eso cuando ha pasado por delante de él .... como un tomate.
- **f** ...., tanto que pensábamos que se iba a desmayar.
- **g** está en contra de que maltraten a los animales, por eso .... también.

4.16. **Piensa en todos los cambios que has experimentado en tu vida y escribe frases sobre ellos.**

....

....

....

....

....

....

....

....

....

División de palabras a final de línea y extranjerismos

4.17. **Escribe el nombre de las siguientes imágenes y decide si son voces adaptadas o no.**

4.18. **Lee el siguiente texto y, en las palabras resaltadas en negrita, marca por dónde se podrían dividir a final de línea. Luego, haz las dos actividades siguientes.**

"Todo el mundo pretende entender la pintura. ¿Por qué no intentan **comprender** el canto de los pájaros? ¿Por qué nos gusta la noche, una flor o **cualquiera** de las cosas que tenemos a nuestro alrededor, sin intentar **comprenderlas**?... Que se comprenda primero que un artista trabaja porque lo necesita, que **también** él es uno de los pequeños elementos de que se compone el mundo y al que no se le **debe** conceder más importancia que a tantas otras cosas que en la naturaleza nos **encantan** y de las cuales no pretendemos dar ninguna explicación. Los que **pretenden** explicar un cuadro siguen, en la mayoría de los casos, un camino **equivocado**".

a **Marca si las siguientes afirmaciones son verdaderas (V) o falsas (F).**

1 Ⓥ Ⓕ Los grupos *pr, br, bl, cl, ch, ll, rr, gu, qu* no se pueden separar a final de línea.

2 Ⓥ Ⓕ Los grupos de vocales sí se pueden separar a final de línea.

3 Ⓥ Ⓕ Los prefijos como *pre-*, *geo-* o *psi-* no se separan a final de línea.

4 Ⓥ Ⓕ Una vocal no debe quedarse sola a final o a comienzo de línea.

5 Ⓥ Ⓕ Pueden separarse a final de línea todas las palabras independientemente de cuantas sílabas tengan.

b **¿Reconoces al artista que dijo estas palabras? Si no conoces su nombre, te lo indicamos con las letras que aparecen en morado en el texto. ¿Estás de acuerdo con su opinión? Escribe por qué.**

4.19. **Imagina que estas palabras están a final de línea y tienes que cortarlas. ¿Cómo lo harías?**

a astronauta ....
b estudiáis ....
c ambulancia ....
d surrealismo ....
e contradecir ....
f descripción ....
g deshacer ....
h geometría ....
i prohibido ....

4.20. **Marca cuáles de las siguientes palabras han adoptado la ortografía y fonética del español y, por lo tanto, no deben escribirse en cursiva.**

- ☐ estrés
- ☐ estatus
- ☐ pizza
- ☐ yogur
- ☐ cruasán
- ☐ pendrive
- ☐ cabaré
- ☐ blues
- ☐ software
- ☐ piercing

CULTURA

Música hispana

4.21. **Lee el texto y decide si las afirmaciones son verdaderas (V) o falsas (F).**

Del flamenco fusión al flamenco *chill*

El flamenco es una música tradicional de origen muy antiguo y que representa una forma de vivir del pueblo gitano andaluz. Poco a poco, al igual que el pueblo gitano, este género se ha ido abriendo al mundo y ha ido evolucionando. Por supuesto, sigue habiendo flamenco "puro" pero el flamenco que ha conseguido llegar a un público más amplio es el flamenco fusión. Este nuevo género empezó en los años 70. Un grupo español, llamado Smash empezó a mezclar el flamenco con el *rock* que por esa época venía de EE. UU., *rock* progresivo, psicodélico y *blues-rock*.

Al final de esta década, uno de los iconos del flamenco, el cantaor Camarón de la Isla, se atrevió a publicar un disco de flamenco, pero mezclando los instrumentos propios del género, la percusión y la guitarra española, con otros ajenos como las guitarras eléctricas, la batería y el piano. El resultado fue un éxito absoluto, pues muchas personas a las que no les gustaba el flamenco empezaron a conocer este arte gracias a este disco.

Otro artista que consiguió acercar el flamenco al gran público fue el guitarrista Paco de Lucía. Él lo mezcló con *jazz, bossa nova* y música clásica e introdujo el cajón peruano, un acompañamiento ahora siempre presente en el flamenco contemporáneo.

En el siglo XXI la nueva revolución del flamenco ha venido de la mano del grupo Chambao; tres jóvenes españoles, que junto a un productor holandés, tuvieron la idea de mezclar el flamenco con la música electrónica de inspiración *chill out*, es lo que se denomina Flamenco *chill*. Tanto Paco de Lucía como Chambao consiguieron cruzar las fronteras españolas y fueron nominados en varias ocasiones a los Grammys Latinos.

a Ⓥ Ⓕ El flamenco es la música folclórica de toda España.
b Ⓥ Ⓕ El primer grupo de flamenco fusión era americano.
c Ⓥ Ⓕ Los cantantes de flamenco se llaman cantaores.
d Ⓥ Ⓕ Paco de Lucía cantaba flamenco.
e Ⓥ Ⓕ Chambao es un grupo de *chill out*.
f Ⓥ Ⓕ Chambao solo es conocido en España.

4.22. **Relaciona cada idea con el párrafo del texto anterior donde se desarrolla.**

		Párrafo número
a	El valiente.	....
b	Los orígenes.	....
c	Reinventando el flamenco.	....
d	El primero en cruzar la frontera.	....

Comprensión de lectura

4.23. **Lee el texto y luego responde a las preguntas.**

Heidemarie Schwermer, alemana de 74 años, lleva más de 15 años viviendo sin dinero. Antes de tomar esta decisión fue profesora y psicóloga. Se hizo profesora porque quería cambiar el mundo, pero pensaba que el sistema educativo se centraba demasiado en los conocimientos intelectuales y no en los valores. Así que decidió estudiar Psicología para ayudar a las personas en un ámbito más espiritual. Como psicoterapeuta ganó mucho dinero. Vivía en una casa enorme, llena de cosas, y cambiaba de coche como quien cambia de camisa, pero ese no había sido su objetivo. Al darse cuenta de que nada material le podía dar la felicidad, empezó a interesarse por los servicios de trueque, es decir, por el intercambio de cosas o habilidades. Por ejemplo, cambiar ropa por libros o clases de pintura por clases de idiomas. Poco a poco empezó a pensar en la posibilidad de vivir de esta manera siempre. Tras quedarse viuda, y con sus hijos ya mayores, decidió dejar su trabajo e ir regalando todas sus pertenencias, incluida su casa, a cambio de cosas básicas que necesitaba para vivir: comida, un techo donde dormir y una ordenador. Sí, el ordenador y la conexión a internet es algo básico para ella, pues el objetivo de Heidemarie es dar a conocer su historia, a través de su página web y de los libros que ha escrito, pero no para que la imitemos, sino para que reflexionemos sobre la infelicidad que puede llegar a producir el consumismo y cómo en el mundo hay miles de personas que viven en la pobreza sin ninguna otra elección.

1 Heidemarie se hizo...
- a profesora porque quería educar en valores.
- b viuda.
- c feliz, con su cambio de vida.

2 Dejó de...
- a tener cosas materiales.
- b trabajar por dinero.
- c vivir en Alemania.

3 Empezó a vivir sin dinero porque...
- a estaba cansada de trabajar.
- b quería un cambio radical en su vida.
- c quería demostrar que el dinero no da la felicidad.

4 Sigue...
- a viviendo en su casa.
- b teniendo un poco de dinero.
- c pensando que el dinero no da la felicidad.

Comprensión auditiva

4 **4.24. Escucha la audición sobre la situación actual de la juventud hispana y relaciona a cada persona con el tema del que habla.**

1 Deterioro del estado de bienestar.	a Daniela
2 Recortes en educación.	b Laura
3 El paro juvenil y las pocas oportunidades de trabajo en España.	c Locutora
4 Subida del precio de las viviendas.	d Carlos

4.25. Vuelve a escuchar y completa las frases.

a El movimiento 15-M representa... ....

b A Laura le da mucha rabia... ....

c A Carlos le preocupa... ....

d La madre de Carlos se pone histérica... ....

e A Daniela le da mucha pena... ....

Expresión e interacción escritas

4.26. Escribe una redacción (150 palabras) sobre tu grupo o cantante favorito que incluya esta información:

- Nombre del grupo.
- Género.
- Instrumentos que suelen usar.
- Cómo conociste a este grupo.
- Por qué te gusta.
- Cuál es tu canción favorita y qué te hace sentir cuando la oyes.

Expresión e interacción orales

4.27. Explica cómo te sientes en estas situaciones. Usa las perífrasis que has aprendido en la unidad.

a Cuando llegan las vacaciones.
b Cuando te enfadas con un familiar.
c Cuando ves las noticias.
d Cuando suena el despertador.
e Cuando te dan una buena noticia.

Unidad 5 ¡QUE NO TE ENGAÑEN!

Opinar y valorar

5.1. a **Aquí tienes diferentes proyectos de una agencia de publicidad para presentar sus ideas para la próxima campaña dirigida a los jóvenes. Lee la información sobre ellos.**

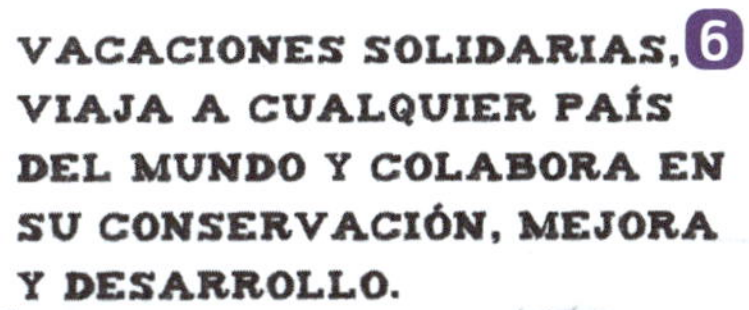

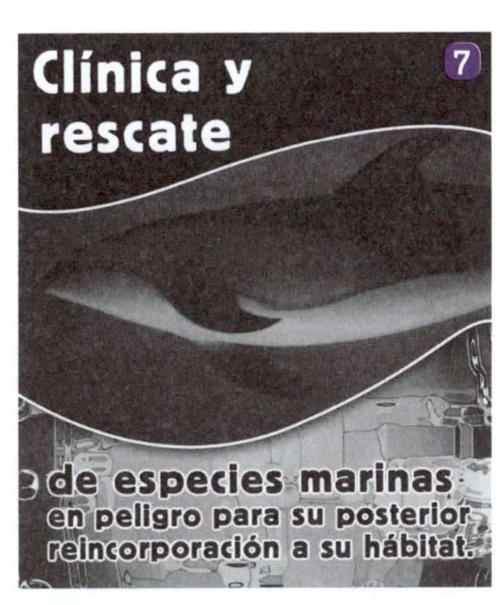

>>>

b Los creativos de la agencia están interesados en las opiniones de algunos chicos que ya han vivido estas experiencias. Completa las frases con el verbo conjugado en el tiempo correcto. Después, relaciónalas con el proyecto del que hablan.

a **Miguel (16 años)**
☐ Creo que estas páginas te .... (facilitar) mucho la vida. No tienes que salir de compras varios días y a diferentes centros. Lo puedes hacer todo desde tu sofá a unos precios sin competencia.

b **Silvia (17 años)**
☐ No me parece que .... (ser) ninguna tontería coger tu mochila y recorrerte con tus amigos muchos países. Opino que el tren te .... (ofrecer) la posibilidad de relacionarte con la gente, ver el paisaje. ¡Te puedes mover!

c **Mina (18 años)**
☐ No creo que se .... (poder) aprender un idioma sin ir al país en el que se habla, porque es obvio que una lengua .... (ser) mucho más que la gramática.

d **Nélida (19 años)**
☐ Me encanta leer y ya no tengo sitio... por eso me parece increíble que .... (tener, nosotros) esta oportunidad. ¡Sensacional!

e **Alberto (16 años)**
☐ Me encanta hacer mezclas, quiero ser un DJ o pinchadiscos, como queráis. No pienso que .... (haber) nada más fácil ahora.

f **Germán (17 años)**
☐ ¡Fue genial! Y no es necesario que .... (saber, nosotros) hacerlo todo. Hay profesionales que te enseñan y te guían.

g **Carmen (18 años)**
☐ Siempre he buceado con mi familia, adoro el mar... Opino que las especies marinas .... (deber) estar todas protegidas para mantener el equilibrio que estamos destruyendo.

h **Quique (18 años)**
☐ Antes de llegar al campo de trabajo pensé que .... (ser) yo el que iba a ayudar a un país subdesarrollado, pero ahora no me parece que los voluntarios .... (dar, nosotros) tanto como ellos nos dan a nosotros.

i **Andrés (16 años)**
☐ Desde mi punto de vista esto .... (ser) mejor que .... (ir) al cine. Y me encanta el cine, pero es muy caro y yo no tengo tanto dinero.

5.2. En otra sesión de trabajo los creativos observan los siguientes carteles y esto es lo que comentan. Elige la opción correcta del verbo. Después, da tu opinión.

Alejandro: ¿Te parece bien que la competencia **a utilice / utiliza** modelos reales en esta campaña en lugar de las habituales?

Jorge: No solo me parece bien, sino que es fantástico que lo **b hagan / hacen** y me encanta la idea de que se **c ponga / pone** de moda.

Alejandro: La verdad es que también es justo que se **d suba / sube** la talla mínima en los desfiles de moda, y no solo porque sea irreal, sino porque es antinatural y antiestético.

Jorge: Está claro que a los hombres no nos **e gusten / gustan** las mujeres tan delgadas.

¿Y tú qué opinas? ....

....

Patricia: ¿Te parece mal que algunos publicistas f **ganen** / **ganan** dinero criticando a sus colegas?

Cristina: ¿De quiénes hablas? No te entiendo.

Patricia: De esta organización que hace contrapublicidad, *Ad-busters*. Yo creo que es injusto que g **jueguen** / **juegan** a lo mismo y h **pretendan** / **pretenden** reprendernos con ello.

Cristina: Bueno, no sé… no estoy totalmente en contra de que i **utilicen** / **utilizan** los mismos medios. ¡Son unos artistas geniales! Sí, claro, intentan compensar la manipulación que alguna publicidad hace, en esto estoy de acuerdo. Es obvio que la publicidad j **deba** / **debe** informar y k **quiera** / **quiere** vender, pero con unos límites, como nosotros, ¿no?

¿Y tú qué opinas? ....

....

5.3. **Clasifica en la siguiente tabla las expresiones utilizadas en el ejercicio anterior para expresar opinión y valoración según necesiten indicativo o subjuntivo.**

Opinión y valoración	
Con indicativo	**Con subjuntivo**
Creo que	

5.4. **Ahora ordena las siguientes palabras y construye frases correctas conjugando el verbo destacado en indicativo o en subjuntivo.**

a alguna / positiva / con / publicidad / del / Es / que / la / producto. / la / **englobar** / diferencia / originalidad / importante

....

....

b parece / Me / publicidad / la / producto. / del / atributos / que / imprescindible / y / **decir** / las / características

....

....

c claro / que / Está / **tener** / objetivo / como / anuncios / los / consumidor. / atrapar / al

....

....

d publicidad / la / que / Creo / modificar / **tratar** / de / consumidor. / el / comportamiento / del

....

....

5.5. **Completa las siguientes frases con los verbos entre paréntesis en la forma correcta.**

a Me parece bien que el Gobierno .... (controlar) las descargas de internet.
b Es verdad que la gente .... (expresar) libremente su opinión en la calle.
c Es ridículo que el profesor .... (poner) el examen mañana.
d Está claro que .... (deber, nosotros) proteger el medioambiente.

>>>

e Me parece increíble que Bea .... (estar) enfadada conmigo.
f Creo que la juventud .... (leer) poco.
g No creo que .... (ir, yo) este fin de semana contigo.
h Es una tontería .... (comprar) dos pantalones iguales.
i No me parece bien que .... (hacer, tú) eso.
j Estoy a favor de que la gente .... (reciclar).
k ¡Qué bien que .... (venir, tú) a la excursión!

5.6. **Corrige las frases que sean incorrectas.**

a Opino que es malo tener obsesión por el deporte.
....

b No creo que Ana come demasiado.
....

c Estoy en contra de que las empresas de publicidad llamen por teléfono.
....

d No creen que el huracán llegue este viernes.
....

e Pienso que la última película de Almodóvar sea un éxito.
....

f No creo que la encuentras aquí, se marchó hace tiempo.
....

g Está claro que su éxito dependa de nosotros.
....

h Me parece fatal que no llame para decir que viene tarde.
....

i Es fantástico que vamos juntos al parque de atracciones.
....

j Es verdad que el examen fue difícil.
....

k Es horrible que el tren no espera ni dos minutos.
....

l Me parece bien que la biblioteca ha adquirido nuevos ejemplares.
....

Mostrar acuerdo o desacuerdo

5.7. **Clasifica las expresiones según expresen acuerdo, desacuerdo o suavicen el desacuerdo. Luego, completa el diálogo de los creativos con ellas.**

Pero, ¡qué dices! ▪ ¡Desde luego! ▪ Por supuesto. ▪ A mi modo de ver... ▪ Lo que pasa es que... ¡Y que lo digas! ▪ ¡Qué va! ▪ Tenéis razón, pero...

Expresar acuerdo	Expresar desacuerdo	Suavizar el desacuerdo

Alejandro: En mi opinión, creo que el proyecto por el que deberíamos empezar es el de vacaciones solidarias.

Patricia: a ...., la idea es muy buena, un viaje internacional para fomentar la paz y el entendimiento entre los pueblos. ¡Uf!

Jorge: b .... Sí, sí. En estos campos internacionales se crea un aprendizaje intercultural y al mismo tiempo se apoyan proyectos sociales, ambientales o culturales propios de estas comunidades. ¡Me parece genial!

Cristina: c .... el tema es interesante, d .... puede resultar pesado, denso, y hay que tener 18 años, pagar una cuota, hacerte socio, el viaje es por cuenta de los chicos...

Alejandro: e .... ¿pesado?, ¿denso?... La idea es crear grupos de gente de diferentes países, que viven y trabajan juntos en un proyecto común y de forma voluntaria.

Jorge: f .... ¡Alejandro! Las barreras entre los chicos y la comunidad desaparecen y el entendimiento internacional se incrementa.

Cristina: Chicos, g .... creo que deberíamos empezar por algo potencialmente más amplio, que abarque a un público mayor, por ejemplo, para aprender idiomas en el extranjero, no es necesario ser mayor de edad...

Patricia: h .... Eso lo pueden hacer al mismo tiempo con las vacaciones solidarias, Cristina, y además, conseguimos sensibilizar a las personas, a los jóvenes, sobre su importante papel en la solución de los problemas de nuestra sociedad.

Cristina: Bueno, bueno, un café... y seguimos hablando...

5.8. Completa los siguientes diálogos con una reacción a favor o en contra.

a ◗ Es ridículo que el cine sea tan caro. Me gustaría ir más.
◗ ¡..! A mí también me gustaría.

b ◗ Creo que hay fiestas solo comerciales, como San Valentín.
◗ ¡..! Es la fiesta del amor y el romanticismo.

c ◗ Es impresionante que compres tantos libros digitales. A mí me gustan en papel.
◗ .... Son mejores en papel, pero pesan y ocupan más.

d ◗ Me he comprado el último cedé de Pereza. ¡Estoy muy contento!
◗ ¡..! Eres un antiguo. Yo lo llevo en mi móvil.

VOCABULARIO

Internet

5.9. Completa el texto con las siguientes palabras.

botón ▪ enlace ▪ texto publicitario ▪ usuario ▪ web portal ▪ logo

Mi instituto ha creado una a ...., que es un sitio en internet que sirve para que podamos acceder a recursos y servicios relacionados con el instituto. Puede incluir: enlaces, buscadores, foros, documentos, aplicaciones, compra electrónica... Así, el b ...., es decir, la persona que utiliza la web portal, podrá acceder a la web y buscar información solo pinchando un c .... Además, podremos conectar con otras páginas web, descargar ficheros o abrir ventanas a través de lo que se llama d .... Por suerte, no tendremos que sufrir los continuos anuncios, porque no está permitido incluir ningún e .... Lo que no me gusta mucho de la página es el f ...., vamos, la combinación de letras e imagen que representa al instituto.

5.10. **Escribe las palabras relacionadas con internet a las que pertenecen las siguientes definiciones.**

a **U**.................................: Es la persona que utiliza en un ordenador cualquier sistema informático.

b **B**.................................: Es un formato publicitario en internet que consiste en incluir una pieza publicitaria dentro de una página web.

c **B**.................................: Son web de formato simple, pueden ser personales o comerciales, de uno o varios autores, se puede publicar un tema, información o noticia de forma periódica; la mayoría son de inscripción gratuita, en otros hay que pagar para su suscripción.

d **B**.................................: Sitios especializados para facilitar la búsqueda de información entre los millones de páginas web existentes.

e **W**........................ **p**........................: Es un sitio que sirve para ofrecer acceso a una serie de recursos y de servicios relacionados con un mismo tema. Puede incluir: enlaces, buscadores, foros, documentos, aplicaciones, compra electrónica...

f **H**................................. **c**.................................: La acción de pulsar cualquiera de los botones del ratón del ordenador. Como resultado de esta operación, el sistema aplica alguna función o proceso al objeto señalado por el cursor en el momento de realizarla.

g **A**................................. **d**....... **t**.................................: Son anuncios publicitarios realizados con texto y tienen un título y un eslogan o idea de venta (una breve descripción del producto), la dirección de la web y un enlace; puede ser sin imagen o con imagen.

h **D**.................................: Copiar a través de una red (internet, BBS, etc.) un elemento que se encuentra ubicado físicamente en ella a nuestro disco duro.

i **F**.................................: Es un sistema real o virtual de organización de la información mediante una clasificación determinada y almacenada de diversas formas para su conservación y fácil acceso en cualquier momento.

j **B**.................................: Permite al usuario comenzar una acción, como buscar, aceptar una tarea, interactuar...

k **E**.................................: Conexión de una página web con otra mediante una palabra que representa una dirección de internet. Generalmente está subrayado y es azul. También sirve para la descarga de ficheros, abrir ventanas, etc.

l **L**.................................: Es la representación de una empresa u organización. Puede tener letras e imagen.

5.11. **Completa el siguiente diálogo con las palabras anteriores.**

Hugo: ¿Has entrado en **a** .... del instituto hoy? Lo han cambiado, está mucho mejor, más fácil de usar.

Olivia: ¡Ah! Sí, sí. Tenía que **b** .... los apuntes del profe de Historia, y he tardado un montón porque no podía abrir **c** .... ¡Puf! ¡Qué rollo!

Hugo: ¡No me digas! Yo lo he hecho en un momento con el **d** .... que tiene en su página web. Hice **e** .... y ahí estaban los diez folios del "temita" de esta semana.

Olivia: ¿De verdad? Pues no lo entiendo... A mí me salían un montón de **f** .... que me distraían un montón... uno muy interesante... era del nuevo centro cultural del barrio. Parece que tiene una biblioteca donde podemos ir a estudiar. ¡Voy a escribir sobre ello hoy en mi **g** ....!

Hugo: ¡Vale! Hazlo porque ya era hora de que tuviéramos una cerquita.

Conectores para organizar las ideas de un texto

5.12. **Ordena los siguientes párrafos y organiza las ideas del texto con los conectores adecuados para saber qué es Inditex.**

por un lado ▪ por otro ▪ y también ▪ con respecto a ▪ es decir

- ▢ .... una excelente acogida social de la propuesta comercial de las cadenas citadas.
- ▢ Su forma de entender la moda, ..., su creatividad, su diseño de calidad y una respuesta ágil a las demandas del mercado, han permitido su rápida expansión internacional
- ▢ Inditex es uno de los principales distribuidores de moda del mundo, en este grupo están: Zara, Pull&Bear, Massimo Dutti, Bershka, Stradivarius, Oysho, Zara Home y Uterqüe. Todos ellos cuentan con 5402 tiendas en 78 países.
- ▢ .... estas, podemos destacar Zara, que abrió en 1975 en La Coruña (España), lugar donde inició su actividad el grupo y donde están los servicios centrales de la compañía, ahora presente en más de 400 ciudades en Europa, América, Asia y África.
- ▢ ...., el grupo reúne a más de un centenar de sociedades relacionadas con las variadas actividades que conforman el negocio del diseño, la fabricación y la distribución textil.
- ▢ ...., su modelo de gestión, basado en la innovación, la flexibilidad y los logros alcanzados, han convertido al grupo en uno de los más grandes.

(Adaptado de: https://www.inditex.com/es/quienes-somos/conocenos)

5.13. **Lee la siguiente información acerca de algunas cadenas de tiendas del grupo Inditex y selecciona el conector más adecuado en cada caso.**

a Massimo Dutti, con 568 tiendas en 51 países, es el resultado de un diseño universal que combina estilos básicos y actuales. **Total que** / **Incluso** / **Asimismo** son siempre prácticos, agradables y de gran calidad.

b Bershka, con 785 tiendas en 56 países, dispone de tiendas grandes, espaciosas y que tienen la voluntad de ser puntos de encuentro entre la moda, la música y el arte de la calle. **De ahí que** / **Así que** / **Además** en ellas se puedan ver vídeos, escuchar cedés o leer revistas. **No obstante** / **En resumen** / **Sin embargo**, se trata de un espacio donde la experiencia de ir de compras se convierte en una inmersión sociocultural en la estética joven del siglo XXI.

c Pull&Bear, con 728 tiendas en 49 países, viste al mundo con un único producto y habla un mismo idioma, formando parte de una cultura joven y universal. Crea ropa y complementos casual y alternativa y **entonces** / **e incluso** / **y en cambio** diseña los espacios de **manera que** / **total que** / **así que** comuniquen el mensaje y el sentimiento de los productos que vende.

d Stradivarius, con 659 tiendas en 46 países, apuesta por la moda femenina internacional con diseños de vanguardia. **No obstante** / **En resumen** / **Por lo tanto** sus tiendas son amplias y con una ambientación joven y dinámica para las jóvenes con un estilo informal e imaginativo.

e Zara, con 1603 tiendas en 78 países, marcha al paso de la sociedad, vistiendo aquellas ideas, tendencias y gustos que la propia sociedad ha ido madurando. **De ahí** / **Así que** / **Así pues** su éxito entre personas, culturas y generaciones que, a pesar de sus diferencias, comparten una especial sensibilidad por la moda.

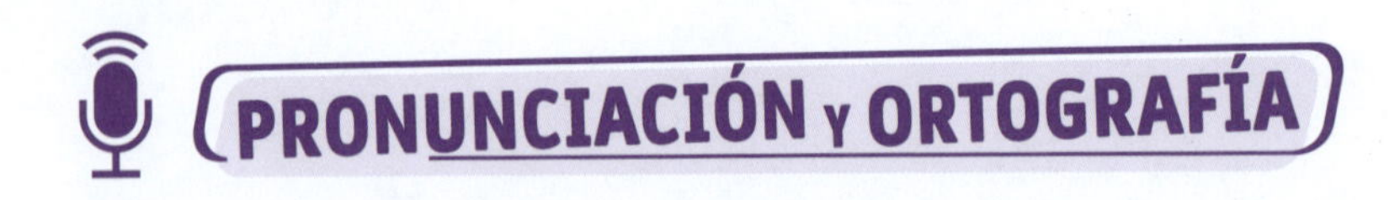

Siglas, acrónimos y abreviaturas

5.14. **Escribe la sigla, acrónimo o abreviatura correspondiente.**

a Documento Nacional de Identidad: ....
b Enseñanza Secundaria Obligatoria: ....
c Federación Internacional de Fútbol Asociación: ....
d Estados Unidos: ....
e Tercero izquierda: ....
f Juegos Olímpicos: ....

5.15. **Escribe de nuevo la dirección de las cartas con las abreviaturas necesarias.**

a
Señor Don Alberto Márquez Silvestre
Instituto de Educación Secundaria Miguel de Cervantes
Avenida López de Monte, número 10, segundo izquierda
Código Postal 08080 Barcelona

....
....
....
....

b
Señora Doña María del Mar García Rodríguez
Calle Zurbano, número 15, primero derecha
Código Postal 28012 Madrid

....
....
....

5.16. **Sustituye las expresiones en negrita por su sigla o acrónimo.**

a El **Documento Nacional de Identidad** .... es la identificación de los españoles.
b Fui en el tren de **Alta Velocidad Española** .... de Madrid a Valencia por 135 **euros** .... ¡Qué rápido y cómodo!
c Yo quiero trabajar de mayor en la **Organización de las Naciones Unidas** ...., por eso estudio varios idiomas, y cuando vaya a la universidad estudiaré para sacarme el **Diploma de Español como Lengua Extranjera** ....
d Me parece muy interesante ser socio de esta **organización no gubernamental** .... Ellos trabajan para conseguir cambios reales en la vida de los niños en los países en desarrollo.
e Me encanta que mi móvil tenga un **Sistema de Posicionamiento Global** ...., porque puedo enviar a mis amigos la dirección exacta de dónde estoy.
f Mi **ordenador personal** .... se ha roto y estoy muy preocupada con las fechas para entregar el trabajo de Geografía. Y es que este año acabo 4.º de **Educación Secundaria Obligatoria** ....

La publicidad en España

5.17. **Observa los siguientes carteles publicitarios que pertenecen a diferentes décadas de la publicidad en España y clasifica las características que hay a continuación en la década correspondiente.**

1940

....

1950

....

1960

....

1970

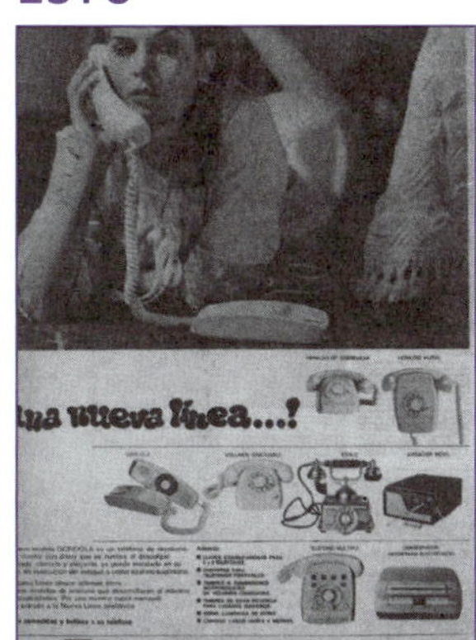

....

1980

....

1990

....

Características

- **a** El alcohol se presenta como algo positivo: estomacal, con sabor a fruta natural.
- **b** En estos años empezarán a verse las primeras campañas políticas e institucionales.
- **c** Las situaciones ideales van dirigidas a la emoción del consumidor para convencerlo de que compre el producto.
- **d** En estos momentos ya no le dan importancia a convencer directamente al consumidor de forma indirecta con metáforas o la imagen de este.
- **e** Se generalizan los electrodomésticos que mejoran el nivel de vida.
- **f** La publicidad se convertirá en un instrumento capaz de generar y cambiar comportamientos.
- **g** Anuncios de objetos: alimentos, perfumería o licores.
- **h** Elemento necesario en el botiquín familiar.
- **i** Propaganda de la dictadura franquista: el país unido a través de la familia y el trabajo duro.
- **j** Mensajes más enfocados al ocio y el bienestar, es decir, coches, cámaras de fotos, teléfonos, refrescos que se beben en la playa en vacaciones...
- **k** La Dirección General de Tráfico preocupada por el correcto uso del cinturón de seguridad.
- **l** El electrodoméstico te hará feliz.
- **m** Comienzan a aplicarse las técnicas de *marketing* norteamericano.

5.18. **Escribe un texto de entre 80-100 palabras sobre la publicidad actual en tu país.**

5.19. **Lee el texto y responde a las preguntas.**

Los eventos deportivos paralizan el mundo, la Super Bowl 2014 se disputó en New Jersey y fue el choque más esperado del año para los fanáticos del fútbol americano. Pero además de lo deportivo, hay varios factores que convierten a este acontecimiento en el evento más seguido del mundo.

Este espectáculo deportivo congrega a 108 millones de telespectadores y las agencias publicitarias pagan millonarias sumas para que sus comerciales aparezcan durante el evento. Es, en definitiva, un sensacional negocio. Una de las publicidades que apareció durante la Super Bowl 2014 fue protagonizada por Zlatan Ibrahimovic. El delantero del PSG aparece promocionando a una conocida marca de autos.

La edición 2013 de la Super Bowl movió durante el partido más de 26 millones de tuits. Un número que dejó bastante clara la importancia social y económica que implica este espectáculo.

En el fútbol español se repite el mismo fenómeno. Un gran momento fue el que vivió la selección española después de ganar el primer Mundial de fútbol en Sudáfrica 2010. La marca Adidas quitó la camiseta a la selección española de fútbol. David Villa, Xabi Alonso y Fernando Llorente son los protagonistas del anuncio que la firma deportiva grabó para lanzar el nuevo uniforme de la campeona del mundo. "¡Nace de dentro!" era el eslogan y los abdominales de los tres futbolistas el reclamo del *spot*.

Aquí tienes imágenes de ambos anuncios publicitarios.

a ¿Qué opinas de que algunos deportes como el fútbol muevan tanto dinero en el mundo? ....

b ¿Por qué crees que ocurre esto? ....

c ¿Piensas que los deportistas solo deben anunciar productos relacionados con su profesión? ....

d ¿Cuál de estos carteles publicitarios te gusta más? ¿Por qué? ....

e Describe tu anuncio preferido en el que aparece un famoso. ....

Comprensión de lectura

5.20. **Lee el siguiente texto sobre los jóvenes y realiza las actividades siguientes.**

Jóvenes adolescentes hasta los 35

Entre 2000 y 2010 aparece "el adolescente digital". Se consolida la familia empática y el joven se encuentra muy bien en casa. Aumenta el consumo de ocio no vinculado a ningún otro grupo de población. La tecnología es protagonista y solo el 10% del tiempo se pasa y comparte con adultos.

Entre 2010 y 2020 surge "El digital nativo-celular". No necesitan salir para relacionarse. Internet ofrece el espacio, el centro comercial virtual y la red social a la que pertenecer. El adolescente del 2020 vivirá en algo parecido a una megalópolis con las puertas abiertas a cualquier lugar gracias a la convivencia constante con la tecnología. Conectado con el mundo pero aislado de la unidad familiar, con tan solo un 5% de su tiempo compartido con adultos.

El ocio de este colectivo será totalmente tecnológico, en un mundo interconectado a través de 50 000 millones de dispositivos multiusos que les permitirán tener movilidad, ubicuidad y conectividad total.

Actualmente, un 68% de adolescentes usa redes sociales para contactar con amigos, y se prevé que esta cifra vaya en aumento con la aparición de nuevas redes, mucho más especializadas, que permitirán que los jóvenes se vinculen a partir de inquietudes, actividades o aficiones concretas.

Permanentemente conectados con los medios –más de 30 horas semanales– los adolescentes actuales se informan a través de los noticiarios y de diarios *online* y blogs, aunque conceden más credibilidad a la prensa escrita. Aunque en general afirman no dejarse influir por la publicidad, los adolescentes de hoy tienden a comprar lo que ven anunciado y el valor de la marca es decisivo en el momento de la compra, aunque las marcas pierden importancia a medida que los adolescentes van llegando a la edad adulta.

Son optimistas ante el futuro y conscientes de que su incorporación al mundo laboral se producirá en el marco de una sociedad envejecida en la que su contribución será clave apenas transcurrido el espacio de 10 años. Para entonces, la mayoría de los adultos-jóvenes todavía vivirán en casa con sus padres, en un entorno urbano que es donde el empleo será más abundante, y serán considerados adolescentes hasta los 35 años.

(Adaptado: http://www.noticiascadadia.com/noticia/25294-los-jovenes-espanoles-adolescentes-hasta-los-35-anos/)

a **Busca en el texto la palabra correspondiente a cada definición.**

1 ....: cualidad de *movible*, que se puede mover.
2 ....: que se identifica mental y afectivamente con el estado de ánimo del otro.
3 ....: ciudad gigantesca.
4 ....: cualidad de *ubicuo*, que está presente al mismo tiempo en todas partes.
5 ....: capacidad de conectarse o hacer conexiones.
6 ....: atado, unido.

b **Contesta si las afirmaciones sobre el texto son verdaderas (V) o falsas (F).**

1 Ⓥ Ⓕ Hasta el 2010 los adolescentes salían mucho más con sus amigos.
2 Ⓥ Ⓕ A partir del 2020 los adolescentes desarrollarán su actividad social básicamente en internet.
3 Ⓥ Ⓕ Los adolescentes no se dejan influir por la publicidad cuando compran tanto como los adultos.
4 Ⓥ Ⓕ En un futuro se generalizarán las redes y todos pertenecerán a la misma.

Comprensión auditiva

5 **5.21.** **Escucha la locución acerca del futuro *online* y de las redes sociales y, luego, responde a las preguntas.**

a ¿Por qué los comerciantes se registran en redes sociales, por ejemplo Facebook, además de tener su propia página web? ....

....

b Según el estudio realizado, ¿qué tres beneficios obtienen los empresarios *online* con las redes sociales? ....

....

c ¿Qué riesgo tienen los empresarios con esta forma de hacer publicidad? ....

....

Expresión e interacción escritas

5.22. **Escribe un correo electrónico a un amigo que se pasa la vida conectado a internet. Háblale sobre los aspectos mencionados a continuación.**

En el texto deberás hablar sobre:

- ¿Cuáles son las ventajas y los inconvenientes de las nuevas tecnologías?
- ¿Qué le recomiendas?
- ¿Qué puede hacer para evitarlo?

....

Expresión e interacción orales

5.23. **¿Qué piensas de la publicidad personalizada que recibes en tu correo electrónico o en tus perfiles de las redes sociales? ¿Sabes cómo consiguen las empresas esa información?**

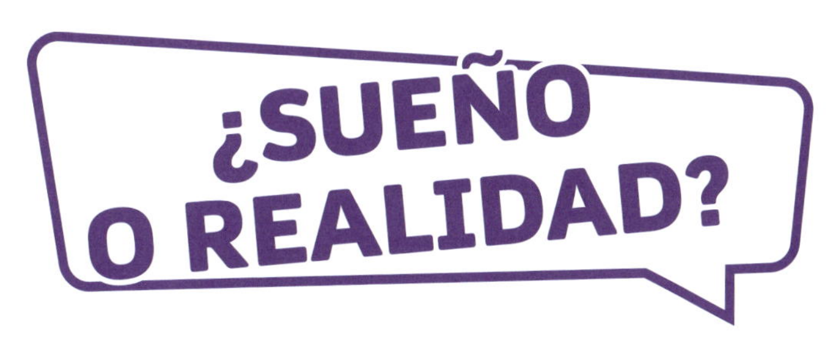

Transmitir información dicha por otros

6.1. **Relaciona cada frase con la persona que crees que la ha dicho.**

a ☐ Haz ejercicio si quieres mantenerte en forma.
b ☐ Ayer fui a apagar un fuego.
c ☐ Todos los días entreno con mis compañeros de equipo.
d ☐ ¿Cuándo fue la última vez que volaste?
e ☐ Escribe un resumen de este libro para mañana.

6.2. **Escribe de nuevo qué te ha dicho cada personaje.**

1 La profesora de Educación Física me ha dicho que... ....
2 El futbolista ....
3 ....
4 ....
5 ....

6.3. **Lee el texto y contesta a las preguntas.**

Mi entrevista de trabajo

Esta mañana he tenido mi primera entrevista de trabajo. Me he levantado pronto y he preparado el desayuno, aunque no he comido mucho ya que estaba pensando en las preguntas que podrían hacerme. Estaba nerviosísimo, pero pienso que ha ido todo bien, al menos eso creo. Ahora tengo que esperar. Me han hecho muchísimas preguntas. Nada más llegar, me han preguntado si conocía la empresa. Yo les he dicho que sí, porque había mirado información sobre la empresa en internet. Después me han preguntado dónde había trabajado antes y yo no sabía qué responder porque no tengo experiencia, pero he sido honesto y les he dicho la verdad. Luego me han preguntado que si me interesaba trabajar por la tarde (claro que sí), que si tenía coche para desplazarme (¡vaya!), que si sabía hablar otros idiomas... Han sido muchas preguntas. Para finalizar me han preguntado por qué quería trabajar en esa empresa. He dudado un poco y les he dicho que pensaba que era el trabajo perfecto para mí. No sé si he hecho bien contestando eso. En fin, voy a cruzar los dedos.

a ¿Conoce la empresa? ....

b ¿Dónde ha trabajado antes? ....

c ¿Le interesa trabajar por la tarde? ....

d ¿Tiene coche? ....

e ¿Sabe hablar otros idiomas? ....

f ¿Por qué quiere trabajar en esta empresa? ....

6.4. **Lee de nuevo el texto anterior y marca verdadero (V) o falso (F).**

a Ⓥ Ⓕ El chico tiene mucha experiencia haciendo entrevistas de trabajo.

b Ⓥ Ⓕ El chico estaba un poco nervioso.

c Ⓥ Ⓕ Tiene que esperar para saber si ha sido seleccionado.

d Ⓥ Ⓕ Le han preguntado si tenía permiso de conducir.

e Ⓥ Ⓕ El chico había mirado información de la empresa en internet antes de la entrevista.

6.5. **Imagina la entrevista anterior y escribe el diálogo en estilo directo, como en el ejemplo.**

- ¿Conoces nuestra empresa?
- Sí, he visto la página web de la empresa en internet y me parece muy interesante.
- ....
- ....
- ....
- ....
- ....
- ....
- ....
- ....

6.6. **Identifica errores en estas frases y corrígelos.**

a Ha dicho quiere viajar por Europa.

....

b Siempre pregúntame cuándo voy a volver.

....

c Le comentado que necesita un cambio en su vida.

....

d Me recomiendo que vaya a un gimnasio como el suyo.

....

e Nos ha preguntado aceptaremos su invitación.

....

6.7. **Escribe las siguientes frases en estilo indirecto.**

a Marta: "Hace dos meses que vivo aquí y he aprendido mucho de esta ciudad".

b Ángel: "No estoy de acuerdo con esta persona".

c Luis y Andrés: "Ayer terminamos ya nuestro trabajo de Física".

d Ana: "¿Quieres venir al teatro conmigo?".

e Luis: "Creo que esta mañana han echado un programa sobre Kenia".

6.8. **Pedro se ha comprado un robot que todas las mañanas le recuerda todo lo que tiene que hacer durante el día. Vuelve a escribir el mensaje en estilo indirecto.**

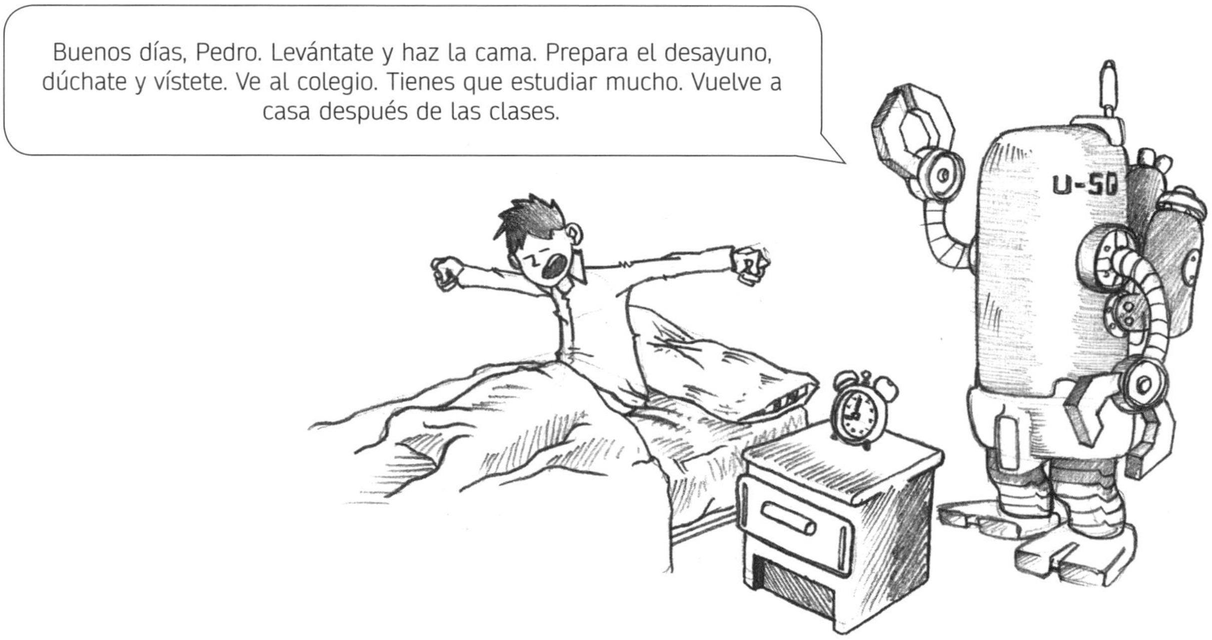

Buenos días, Pedro. Levántate y haz la cama. Prepara el desayuno, dúchate y vístete. Ve al colegio. Tienes que estudiar mucho. Vuelve a casa después de las clases.

U-50

El robot me ha pedido que...

6.9. **Recuerda con quién has hablado hoy y escribe qué te ha dicho.**

He hablado con... y me ha dicho/preguntado...

Expresar probabilidad o hipótesis en presente y en pasado

6.10. **Relaciona estas preguntas con las siguientes situaciones.**

1 Estás en tu casa y escuchas un ruido enorme en el piso de arriba.
2 Tu hermano fue ayer a la fiesta de cumpleaños de una chica que no conocía.
3 Tu madre te regala un robot sin libro de instrucciones.
4 Recibes una llamada en tu móvil con número oculto.
5 No encuentras en tu armario tu camiseta favorita.
6 Te gustan los nuevos zapatos que tu vecino se compró ayer.

a ¿Cómo funcionará?
b ¿Dónde estará?
c ¿Quién será?
d ¿Qué habrá pasado?
e ¿Dónde los compraría?
f ¿Por qué iría?

6.11. a **Estamos paseando por la ciudad y vemos que muchos periodistas hacen fotos a un hombre que no conocemos. Relaciona las palabras de las diferentes columnas para hacer preguntas.**

1 ¿Cómo	años	aquí?
2 ¿Cuántos	será	famosa?
3 ¿Habrá	cerca de	llamará?
4 ¿Tendrá	estará	tendrá?
5 ¿Cuál	una novia	su profesión?
6 ¿Vivirá	hecho	películas?
7 ¿Qué	se	diciendo?

b **Piensa ahora en una posible respuesta para cada una de las preguntas del ejercicio anterior y escríbela.**

1 ....
2 ....
3 ....
4 ....
5 ....
6 ....
7 ....

6.12. **Mira el dibujo y completa las frases.**

a La chica no está en una tienda, sino en... ....
b No hay dos libros encima de la mesa, sino... ....
c La chica no está leyendo, sino... ....
d La chica no tiene el pelo corto, sino... ....
e En la estantería no hay discos, sino... ....
f Parece que la chica no está sentada, sino... ....
g Cuando termine su trabajo no volverá a casa, sino que... ....
....

6.13. **Ordena estas palabras para formar preguntas y escribe una posible respuesta.**

a esa chica / por qué / a la biblioteca / habrá ido ➔ ¿..........?

....

b escribiendo / qué / estará ➔ ¿..........?

....

c estará / por qué / sola ➔ ¿..........?

....

d no / por qué / sentada / estará ➔ ¿..........?

....

e será / hora / qué ➔ ¿..........?

....

f cuando / dónde / salga de / irá / la biblioteca ➔ ¿..........?

....

6.14. **Escribe frases pensando en tus próximas vacaciones.**

a Es posible que en mis vacaciones... ....
b Quizás... ....
c A lo mejor... ....
d Puede ser que... ....
e Tal vez... ....
f Me imagino que... ....
g Igual... ....

6.15. **Haz hipótesis sobre estas imágenes.**

a

....
....
....

b

....
....
....

c

....
....
....

d

....

e

....

f

....

g

....

VOCABULARIO

Las cartas formales y los teléfonos móviles

6.16. **Imagina que escribes esta carta a una empresa para solicitar una entrevista de trabajo. Complétala con la información que falta.**

Diseño digital Larsson
C/ Benavides, 47
28011 Madrid

a .... señores:

Tras haber visto el anuncio que publican en infotrabajo.com, les escribo porque estoy muy interesado en el puesto de trabajo que ofrecen. Como pueden ver, les adjunto mi **b** ...., así como una carta de **c** .... donde les detallo mi formación y experiencia, junto con algunas aptitudes personales que considero pueden ser valiosas para su empresa.

Estaría encantado de realizar una **d** .... con ustedes cuando consideren oportuno.

En **e** .... de sus **f** ...., reciba un **g** ....

h ....

i ....

6.17. **Relaciona las expresiones con sus definiciones.**

1 Aparato •
2 Pantalla táctil •
3 Cobertura •
4 Recibir llamadas •
5 Se corta •
6 Cargar •
7 Cargador •
8 Batería •

• a Acumula electricidad.
• b Instrumento que conecta la electricidad con la batería.
• c Instrumento o mecanismo que tiene una función determinada.
• d Acción de recuperar la batería.
• e Una de las funciones principales de un teléfono móvil.
• f Extensión geográfica de los servicios de telecomunicaciones.
• g Cuando se pierde una llamada.
• h Parte de algunos aparatos electrónicos que funciona con el contacto.

Los correos electrónicos

6.18. **Escribe las siguientes direcciones de correo electrónico y direcciones web.**

a Ana, guion bajo, Sánchez, arroba, edimail, punto, com

....

b Tres uves dobles, punto, edinumen, punto, es

....

c Tres uves dobles, punto, formación, punto, com, barra, estudiantes

....

d Luis, guion, López, barra, Gómez, arroba, gemail, punto, es

....

Verbos y expresiones para expresar hipótesis o probabilidades

6.19. **Pon el verbo entre paréntesis en la forma correcta.**

a Me parece que ayer .... (ser) el cumpleaños de mi primo y se me olvidó llamarlo.
b Creo que .... (hacer, nosotros) los ejercicios mañana. Ahora no tenemos tiempo.
c A lo mejor .... (ir, ellos) a clase la semana pasada pero esta semana no han ido.
d Yo diría que .... (nacer, él) en el sur de España. Baila flamenco muy bien.
e Me imagino que .... (estar, él) en casa. Desde aquí veo que hay luz dentro.
f Suponemos que .... (cocinar, vosotros) bien, pero nunca nos habéis invitado a comer.

6.20. **Elige la forma correcta en cada frase.**

a **Lo mismo / Es posible que** está en el dormitorio.
b **Es probable que / Probablemente** sabe dónde ha trabajado.
c **Me parece que / Puede ser que** diga la verdad.
d **Quizás / A lo mejor** haga la tarta para tu cumpleaños.
e **Igual / Es posible que** cambie de casa en los próximos días.
f **Es probable que / Quizás** puede llevarte en su coche.

6.21. **Encuentra en esta sopa de letras nueve marcadores de hipótesis.**

P	A	R	A	M	B	E	R	O	S	I	M	B
A	R	L	I	Z	R	T	A	V	U	E	N	C
Y	J	O	G	Í	A	N	Z	E	P	R	S	Á
A	B	E	B	A	N	E	L	Ú	O	D	E	T
L	E	D	O	A	S	M	A	F	N	I	T	A
O	G	U	E	N	B	E	S	I	G	U	A	L
M	F	A	R	X	E	L	T	A	O	N	P	V
E	C	Q	Ú	H	L	B	E	R	S	I	C	E
J	P	U	E	D	E	I	R	M	I	G	E	Z
O	Q	I	K	I	R	S	M	O	E	O	L	H
R	Í	Z	M	T	C	O	E	S	S	N	E	Ó
E	S	Á	R	E	Ñ	P	N	I	T	E	T	S
F	A	S	E	G	U	R	A	M	E	N	T	E

6.22. **Relaciona estos marcadores de hipótesis con el final de la frase.**

A lo mejor ▪ Puede que ▪ Tal vez ▪ Lo mismo ▪ Creo que ▪ Puede ser que ▪ Supongo que
Yo diría que ▪ Seguramente ▪ Igual ▪ Es posible que ▪ Quizás ▪ Me parece que
Es probable que ▪ Para mí que ▪ Probablemente

...la rana es un príncipe.	**...la rana sea un príncipe.**	**...la rana es/sea un príncipe.**

6.23. **Completa con el verbo entre paréntesis en indicativo o subjuntivo.**

a Me parece que este cuento .... (tener) muchos años.
b Tal vez tus sueños .... (hacerse) realidad.
c Para mí que el príncipe azul no .... (existir).
d Es posible que algún día .... (conocer) a la mujer de mis sueños.
e Puede que tu nariz .... (crecer) si no me dices la verdad.
f Quizás los cuentos de hadas .... (ayudar) a soñar.
g A lo mejor los sueños .... (cumplirse).
h Es probable que algún día todos .... (ser) felices para siempre.

6.24. **Tonino es un chico muy especial. Escribe hipótesis para intentar adivinar por qué no hace estas cosas.**

a Tonino nunca usa paraguas.
Quizás... ....

b Tonino nunca va a la playa.
Es posible que... ....

c Tonino nunca bebe leche.
Puede que... ....

d Tonino nunca ve la televisión.
A lo mejor... ....

e Tonino nunca usa su teléfono.
Probablemente... ....

f Tonino nunca ha montado en avión.
Para mí que... ....

g Tonino nunca compra ropa.
Tal vez... ....

h Tonino nunca ha jugado al fútbol.
Es probable que... ....

i Tonino nunca se hace fotos.
Yo diría que... ....

j Tonino hoy no ha ido a la escuela.
Creo que... ....

k Tonino nunca se levanta temprano.
Quizás... ....

l Tonino nunca come verduras.
Es posible que... ....

m Tonino hoy está enfadado.
Para mí que... ....

PRONUNCIACIÓN Y ORTOGRAFÍA

La diéresis y las palabras homófonas

6.25. **Une las dos partes para formar palabras con diéresis.**

1 bi •	• **a** güedad
2 ci •	• **b** lingüe
3 anti •	• **c** güística
4 ver •	• **d** güeña
5 lin •	• **e** güenza

6.26. **Pon *u* o *ü* en las siguiente palabras.**

a parag.....as
b biling.....e
c g.....erra
d g.....itarra
e antig.....o
f verg.....enza

6.27. **Lee el siguiente texto y escribe la diéresis (*ü*) cuando sea necesaria.**

Mi amigo Koke es piraguista y vive en Paraguay. Su piragua es un poco antigua, la compró en una tienda de segunda mano porque no tenía mucho dinero. Como sus amigos tienen piraguas nuevas, a él le da un poco de verguenza ir al lago a remar con ellos. Compite en muchas carreras pero nunca consigue ganar una. Hace poco se ha dado cuenta de que tiene un agujero por donde entra agua en la piragua. Si quieres ayudarlo, puedes encontrarlo entrenando en el lago con el resto de piraguistas. Es muy fácil reconocerlo porque su nombre está escrito en la lengueta de sus zapatillas con el logo de una cigueña amarilla.

6.28. **Elige la opción correcta en el siguiente diálogo.**

Juan: ¿**A dónde / Donde** has ido?
Miguel: **Adónde / Adonde** estuvimos con Carlos.
Juan: ¿Y **por qué / porqué** no me avisaste?
Miguel: Supongo que sabes el **porque / porqué**.
Juan: **Sino / Si no** me lo dices, hablaré con él.
Miguel: Puedes llamarlo a su casa. **Asimismo / Así mismo** podrás hablar con su hermano.

6.29. **Selecciona la opción correcta.**

a ¿**Dónde / A dónde** vas? No quiero que juegues **adonde / donde / dónde** no hay valla.
b No ha sido Pedro quien me lo ha dicho, **sino / si no** Juan.
c Déjalo **asimismo / así mismo,** ya te ha quedado bien.
d ◗ ¿**Porqué / Por qué / Porque** me pasarán estas cosas a mí?
◗ **Porque / Porqué / Por qué** eres un despistado y no te fijas en lo que haces.

El teatro y las telenovelas

6.30. **Relaciona estas palabras del teatro con su definición.**

1 telón •
2 escenario •
3 protagonista •
4 patio •
5 criado •
6 toldo •

• **a** Lugar donde actúan los actores.
• **b** Tela que oculta el escenario.
• **c** Cubierta de tela que sirve para hacer sombra.
• **d** Personaje principal de la obra.
• **e** Espacio abierto en la parte de atrás de algunas casas.
• **f** Persona que trabaja sirviendo a otra.

6.31. **Ordena las partes del siguiente texto sobre los corrales de comedias.**

a ☐ ...duraban entre dos horas y media y tres. Una tela hacía de techo y no existía el telón. Los personajes...
b ☐ Los corrales de comedias aparecen durante el Siglo de Oro, que es la época más brillante de la literatura española, por el gran número de buenos escritores que coincidieron en ella y por la calidad de sus obras. Los corrales...
c ☐ ...de las obras solían ser estereotipados.
d ☐ ...se convertía en el escenario. En cuanto al público, el privilegiado ocupaba las galerías mientras que el resto, separados los hombres de las mujeres, compartía patio y calor. Las sesiones...
e ☐ ...eran espacios improvisados, habilitados en casas de vecinos para representar obras de teatro. Un patio trasero...

6.32. **Los personajes del teatro del Siglo de Oro solían tener unas características comunes. Relaciona personajes y características.**

1 el galán/la dama •
2 el criado/la criada •
3 el padre •
4 el rey •

• **a** Es la persona que castiga o premia las conductas de los personajes.
• **b** Figura respetable que defiende el honor de la familia.
• **c** Sirven con lealtad a los protagonistas y suelen dar el toque cómico a la acción.
• **d** Son los protagonistas y en torno a ellos se desarrolla la acción principal. Se enamoran.

6.33. **Decide si las siguientes frases sobre las telenovelas son verdaderas (V) o falsas (F).**

a Ⓥ Ⓕ Las telenovelas son solamente dramáticas.
b Ⓥ Ⓕ Muchas telenovelas incorporan elementos de actualidad.
c Ⓥ Ⓕ Cada país latinoamericano produce telenovelas diferentes.
d Ⓥ Ⓕ *Yo soy Betty, la fea* fue un éxito solamente en Colombia.
e Ⓥ Ⓕ *Yo soy Betty, la fea* tiene más capítulos de lo habitual en las telenovelas.

6.34. **Responde a las siguientes preguntas.**

a ¿De qué manera están conectadas las telenovelas a los países hispanos? ....

b ¿Cuáles son algunos de los elementos que tienen en común las telenovelas? ¿Qué elementos tienen en común con las telenovelas en tu país?

....

c Además de entretener, ¿qué intentan hacer las telenovelas? Y las telenovelas en tu país, ¿qué temas sociales suelen tocar?

....

d ¿Cuáles son las características del personaje Betty de la telenovela *Betty la fea*? ¿Piensas que es una exageración u ocurre así en la vida real?

....

Comprensión de lectura

6.35. **Lee esta carta de presentación y, luego, completa las frases.**

27 de abril de 2018, Buenos Aires

José Sánchez Pérez
C/ Abasto, 10
1903 Buenos Aires

Infomola
C/ Crurcerita, 20
Buenos Aires

Me dirijo a ustedes en respuesta a su anuncio publicado en *Clarín* el día 25/04/18 en el que ofertan un puesto en su empresa como programador, ya que estoy muy interesado en el mismo.

Les adjunto mi currículum donde podrán ver que estoy altamente cualificado para desarrollar el trabajo que puedan necesitar.

Tengo experiencia en este campo, puesto que estuve desarrollando un trabajo similar en Estados Unidos durante un par de años de prácticas en una empresa norteamericana.

Dispongo de referencias si estuvieran interesados en ellas y total disponibilidad para trabajar en el extranjero.

Sin otro particular y en espera de sus noticias, se despide atentamente,

Fdo. José Sánchez Pérez.

a José quiere trabajar como... ....

b Hizo prácticas en... ....

c Estuvo de prácticas durante... ....

d Tiene absoluta disponibilidad para... ....

e José escribió la carta... .... días después de... ....

Comprensión auditiva

6 **6.36.** a **Escucha y relaciona las frases con la acción que cada persona va a realizar.**

1 Marta •
2 La amiga de Marta •
3 El hermano de Marta •

• a va a comprar accesorios para el ordenador.
• b va a intentar reparar el ordenador.
• c va a comprar un ordenador, pero no nuevo.

b **Ahora elige lo que los amigos de Marta quieren comprar.**

☐ Un monitor.
☐ Un *pendrive.*
☐ Una pantalla.
☐ Un ratón.
☐ Una memoria externa.
☐ Un lector de cedé externo.

c **Escucha y decide si las afirmaciones son verdaderas (V) o falsas (F).**

1 Ⓥ Ⓕ El hermano de Marta le recomienda que compre un ordenador de segunda mano.
2 Ⓥ Ⓕ Marta piensa que su ordenador tiene menos de siete años.
3 Ⓥ Ⓕ El ordenador no funciona desde esta mañana.
4 Ⓥ Ⓕ Marta estuvo ayer escuchando música en su ordenador.

Expresión e interacción escritas

6.37. **Escribe una carta formal a Atención al Cliente de tu compañía telefónica quejándote de que tu línea móvil no funciona bien.**

....
....
....
....
....
....
....
....
....
....

Expresión e interacción orales

6.38. **Cuéntale a tu compañero/a con qué personas has hablado hoy y qué te han dicho.**